César Chamorro
Matilde Martínez
Nuria Murillo
Alejandro Sáenz

TODAS LAS VOCES

B1

Curso de cultura y civilización

Edición revisada

TODAS LAS VOCES

Autores
César Chamorro, Matilde Martínez, Nuria Murillo, Alejandro Sáenz

Coordinación editorial y redacción
Montse Belver, Iñaki Calvo, Cristian Campos

Diseño y dirección de arte
Guillermo Bejarano (interior), Óscar García Ortega (cubierta)

Maquetación
Guillermo Bejarano

Contenido CD
Locutores: Gema Ballesteros, Mireia Boadella, Iñaki Calvo, Eli Capdevila, Oscar García, Agustín Garmendia, Ester Lázaro, Luis Luján, Olga Mias, Edith Moreno, Veronika Plainer, Laia Sant, Sergio Troitiño.

Grabación: Blind Records S.C.P.

Canciones: "Morning coffee break", Happyband; "Paseo del Prado", Dobroide; "Museum Hall-02", Dobroide; Himno de Perú, cantado por Juan Diego Flores; "Madrid", Mecano (¿Dónde está el país de las hadas? BMG, 1983); "Babel", Pedro Guerra (Ofrenda. Sony, 2001); "Disculpe el señor", Joan Manuel Serrat (Utopía. Ariola Records, 1992); "El adiós del soldado", Rubén Vargas y el Mariachi Águilas de Oro (Los Grandes Exitos de Vicente, Vol. 3. Multimusic, 2002); Difusión.

Contenido DVD
Secuencias: La Misión, Roland Joffé (Reino Unido 1986), Warner Bros Entertainment S.L.; Andalucía: Las Alpujarras (España), Muchoviaje/ Flying Apple & Film Producers S.L.; Un lugar en el mundo, Adolfo Aristarain (Argentina 1992), Tesela Producciones Cinematográficas, SRL.; Tapas, José Corbacho y Juan Cruz (España 2005), Filmax Home Video; Los lunes al sol, Fernando León de Aranoa (España 2002), Warner Sogefilms.; Cobardes, José Corbacho y Juan Cruz (España 2008), Filmax Home Video; La flor de mi secreto, Pedro Almodóvar (España 1995), El Deseo S.A.; Descubriendo el arte, Picasso (España 2002) DVD Spain General Distributions S.L.; Los alquimistas de la cocina (España 2006), Divisa Home Video; Guantanamera, Tomás Gutiérrez Alea y Juan Carlos Tabío (Cuba 1995), Cameo Media S.L.; Belle epoque, Fernando Trueba (España 1992), Warner Bros Entertainment S.L.

Autoría DVD: Prodimag

Fotografías
Introducción pág. 8 Flavio@Flickr/Flickr.com; Luis Fabres/Flickr.com; **Unidad 1** pág. 9 Felixe/Flickr.com; Pág. 10 KaischiB/Flickr.com; Alaskan Dude/ Flickr.com) ; pág. 11 Tomás Fano/Flickr.com; pág. 12 Yrithinnd/Wikimedia Commons; pág. 13 Tomás Fano/Flickr.com; pág. 15 Michael McCarty/Flickr.com; pág. 17 Paul Lowry/Flickr.com; pág. 18 Ken Durden/Dreamstime.com; pág. 19 Franco Folini/Flickr.com; pág. 20 Basphoto/Dreamstime.com; Sami Keinänen/ Flickr.com; pág. 22 Xaf/Flickr.com; pág. 23 Vince Alongi/Flickr.com; **Unidad 2** pág. 25 Steve Allen/Dreamstime.com; pág. 26 Jacques Descloitres_MODIS Rapid Response Team NASA-GSFC/Wikimedia Commons; Jaume Meneses/ Flickr.com; pág. 27 dynamosquito/Flickr.com; pág. 18 Mauro Bighin/Dreamstime. com; pág. 28 dalbera/Flickr.com; pág. 30 United States Federal Government/ Wikimedia Commons; g[wiz]/Flickr.com; pág. 31 superstrikertwo/Flickr. com; fraymifoto/Flickr.com; pág. 32 Mikelo/Flickr.com; pág. 34 Tijs Zwinkels/ Flickr.com; Totoro!/Flickr.com; pág. 35 Inti/Flickr.com; Alaskan Dude/Flickr. com; pág. 36 PabloBD/Flickr.com; pág. 38 Ljupco Smokovski/Dreamstime. com; Felipe Gabaldon/Flickr.com; **Unidad 3** pág. 39 Javier Rubilar/Flickr.com; pág. 40 Marianne Lachance/Dreamstime.com; Maureen_Flickr.com; pág. 43 blmurch/Flickr.com; pág. 48 bbriceno/Flickr.com; **Unidad 4** pág. 51 Quintanilla/ Dreamstime.com; pág. 52 javiersanp/Flickr.com; Sam Beebe / Ecotrust/Flickr. com; pág. 53 Rui Ornelas/Flickr.com; Daquella manera/Flickr.com; pág. 55 cjmartin/Flickr.com; pág. 56 García Ortega; pág. 58 Album_akg-images/Paul

Almasy; **Unidad 5** pág. 61 unfulanoasturiano/Flickr.com; pág. 62 Víctor Santa María/Flickr.com; Jean-Marc /Jo BeLo/Jhon-John/Flickr.com; pág. 63 Minamie's Photo/Flickr.com; Carlos Matilla™/Flickr.com; pág. 64 mChuca☙/Flickr.com; jlastras/Flickr.com; **Unidad 6** pág. 67 fraymifoto/Flickr.com; pág. 68 seiho/ Flickr.com; pág. 69 Fernando Pascullo/Wikimedia Commons; Lyuba Dimitroba LADA Film; pág. 71 mick20/Fotolia; pág. 72; Omar Omar/Flickr.com; Beatrice Murch/Flickr.com; pág. 73 Asier Sarasua/Flickr.com; xumet2/Flickr.com; pág. 74 Judas Priest88/Wikimedia Commons; **Unidad 7** pág. 77 Album / Oronoz; pág. 82 Academia IF/Flickr.com; pág. 83 Guillermo Casas; pág. 85 Mrexcel/ Wikimedia Commons; www.ensayistas.org/Wikimedia Commons; pág. 88 BuenosAiresPhotographer.com; **Unidad 8** pág. 91 berg_bcn/Fotolia; pág. 92 Museo del Louvre, París/Wikimedia Commons; Museu Nacional d'Art de Catalunya, Barcelona /Wikimedia Commons; pág. 93 Museo del Prado, Madrid/ Wikimedia Commons; Wolfgang Sauber/Flickr.com; MacAllenBrothers/Flickr. com; pág. 94 oddsock/Flickr.com; pág. 95 Museo del Prado, Madrid /Wikimedia Commons; pág. 96 Francisco J. Díez Martín/Flickr.com; pág. 97 Phillip Maiwald/ Wikimedia Commons; Luis García/Wikimedia Commons; pág. 99 Manuel González Olaechea y Franco_Wikimedia Commons; Jackhynes_Wikimedia Commons; pág. 100 Jvitela/Flickr.com; tato grasso/Flickr.com; pág. 101 Juan José Hernández Rodríguez/Flickr.com; SergioPT/Wikimedia Commons; Samuel Negredo/ Flickr.com; pág. 103 Till F. Teenck/Flickr.com; pág. 104 antjeverena/Flickr.com; Josep Pla-Narbona/Wikimedia Commons; **Unidad 9** pág. 107 Bernd Juergens/ Dreamstime.com; pág. 108 Vvillamon/Flickr.com; flydime/Flickr.com; pág. 109 vår resa/Flickr.com; Oquendo/Flickr.com; jlastras/Flickr.com; pág. 111 Luis Fabres/Flickr.com; stu_spivack/Flickr.com; pág. 112 foto: jlastras/Flickr.com; vitelone/Flickr.com; xurde/Flickr.com; **Unidad 10** pág. 117 m_reger/Flickr.com; pág. 118 Armando Maynez/Flickr.com; Eddie Toro/Dreamstime.com; pág. 119 Jdvillalobos/Wikimedia Commons; Libertinus/Flickr.com; pág. 120 jlmaral/ Flickr.com; pág. 121 montuno/Flickr.com; hellosputnik/Flickr.com; pág. 122 Malojavio El Saucejo2/Flickr.com; pág. 124 sergis blog/Flickr.com; Festival Internacional de Cine en Guadalajara/Flickr.com; pág. 125 CynSimp/Flickr.com; Gage Skidmore_Flickr; José Antonio Bielsa Arbiol/Wikimedia Commons; pág. 126 puamelia/Flickr.com; pág. 128 benjami/Flickr.com; pág. 129 frankblacknoir/ Flickr.com; Alex Castellá/Flickr.com; pág. 130 moriza/Flickr.com; pág. 132 Miguel Vera/Flickr.com; Spiros2004/Flickr.com; pág. 133 jorgemejia/Flickr.com; Francisco Turnes_Dreamstime.com; pág. 134 Nacho Castejón Martínez/Flickr. com; Zairbek Mansurov/Dreamstime.com; **Unidad 11** pág. 137 Eneas/Flickr. com; pág. 138 andresmh/Flickr.com; widemos/Flickr.com; pág. 139 Glen's Pics/ Flickr.com; Christian Frausto Bernal/Flickr.com; e_calamar/Flickr.com; pág. 140 deramaenrama/Flickr.com; Francisco Javier Martín/Flickr.com; cliff1066™/ Flickr.com; pág. 141 JuanJaén/Flickr.com; Secret Tenerife/Flickr.com; pág. 142 Jdvillalobos2/Wikimedia Commons; jorgemejia/Flickr.com.

Agradecimientos
Gema Ballesteros, Mireia Boadella, Iñaki Calvo, Eli Capdevila, Oscar García, Agustín Garmendia, Pablo Garrido, Ester Lázaro, Luis Luján, Olga Mias, Edith Moreno, Veronika Plainer, Laia Sant y Sergio Troitiño.

Esta edición revisada puede usarse en clase con la primera edición de *Todas las voces*.

© Los autores y Difusión, S.L. Barcelona 2010
ISBN: 978-84-8443-722-2
Depósito Legal: B-33934-2012
Impreso en España por Gómez Aparicio

Reimpresión: diciembre 2017

difusión
Centro de Investigación y Publicaciones de Idiomas, S.L.

C/ Trafalgar, 10, entlo. 1ª
08010 Barcelona
Tel. (+34) 93 268 03 00
Fax (+34) 93 310 33 40
editorial@difusion.com

www.difusion.com

ÍNDICE

INTRODUCCIÓN

Todas las voces es un manual dirigido a estudiantes de español con un nivel B1 del MCER que deseen conocer mejor algunos aspectos culturales de la lengua que están aprendiendo. El libro consta de 11 unidades temáticas que ofrecen información sobre distintos aspectos de la cultura hispana y que contribuyen a la práctica y mejora de las destrezas básicas.

Partimos de la convicción de que cultura y lengua están íntimamente ligadas y de que ser consciente de ello es parte fundamental de la enseñanza de un idioma. La comunicación se hace posible gracias a una serie de conocimientos compartidos, muchos de los cuales son culturales. No se trata sólo de referentes a los que se hace alusión (y cuyo conocimiento es necesario para que la comunicación se haga efectiva), sino que, a menudo, estos referentes están codificados en el lenguaje, en el léxico o en el habla. Puede decirse, entonces, que el conocimiento cultural es algo imprescindible para dominar la lengua.

Qué entendemos por cultura

La cultura no es un bloque cerrado, fijo e inamovible, sino algo diverso y que evoluciona. En el mundo de habla hispana, tan vasto y complejo, no hay una cultura, sino muchas, que no cesan de transformarse. Esa es la idea de cultura que hemos querido presentar en este libro. Entre los aspectos culturales que pueden caracterizar a una sociedad, en el MCER se mencionan los siguientes: la vida diaria (comidas, días festivos, horario de trabajo); las condiciones de vida (niveles de vida, vivienda, asistencia social); las relaciones personales (estructura social, las relaciones entre sexos, relaciones familiares, en el trabajo, entre generaciones, entre distintas comunidades); los valores y las creencias sobre algunos temas (grupos regionales, profesiones, clases sociales, instituciones, historia, minorías, pueblos extranjeros, política, artes, religión); el lenguaje corporal; las convenciones sociales (puntualidad, regalos, vestidos, invitaciones); y el comportamiento ritual en distintas celebraciones.

Algunos de estos temas son los que hemos propuesto en las 11 unidades temáticas del libro (cada una de las cuales está dividida en varios capítulos): historia, geografía y paisajes, lengua española, economía, trabajo, educación, literatura y sociedad, arte, gastronomía, entretenimiento y celebraciones y fiestas. Evidentemente, es imposible dar cabida a todos los aspectos culturales que serían dignos de conocer. Sin embargo, a partir de los materiales del libro y gracias a las actividades propuestas, el alumno puede aprender mucho sobre cuestiones culturales relacionadas con la lengua española.

Objetivos del libro

Los objetivos de este libro son los siguientes:

1. Garantizar el acceso del alumno al conocimiento sociocultural del mundo hispano, intentando que perciba la diversidad cultural y lingüística que hay en él.

2. Favorecer el desarrollo de la competencia intercultural del alumno gracias a actividades que le lleven a cuestionarse sus propios valores y referencias culturales.

3. Insistir en la relación que hay entre cultura y lengua, de modo que el alumno tome conciencia de cómo se influyen mutuamente.

4. Permitir el desarrollo de las destrezas básicas (comprensión escrita, comprensión auditiva, expresión escrita, expresión oral e interacción).

5. Aprender a usar la lengua en contextos culturales determinados.

Estructura básica del libro

Todos los capítulos incluyen un texto que proporciona información sobre algún aspecto cultural relacionado con la temática de la unidad, y una serie de actividades de distinto tipo: de comprensión lectora, de léxico, de navegación en internet (para que el alumno descubra documentos reales, explore y resuelva ciertos enigmas) y de producción (escrita y oral), en las que se suelen tener en cuenta necesidades reales de comunicación.

En muchas de esas actividades se intenta que el alumno lleve a cabo una reflexión intercultural. Asimismo, al final de cada unidad se proponen actividades basadas en materiales audiovisuales relacionados con los temas de las mismas. Muchas de las actividades que se proponen están pensadas para hacerse en pareja o en grupos, ya que creemos que el trabajo cooperativo favorece en gran medida el aprendizaje de una lengua. III

¿CÓMO TRABAJAR CON TODAS LAS VOCES?

Todas las unidades de este libro presentan la siguiente estructura:

PORTADILLA

Es la primera página de cada una de las unidades del libro. En ella aparecen el nombre y el título de la unidad, una imagen y un pequeño texto o frase relacionada con su tema. Estos elementos pueden ayudar al alumno a anticipar el contenido de la unidad y a activar sus conocimientos previos sobre el tema.

CAPÍTULOS

Tras la portadilla, se accede a los diferentes capítulos de la unidad. Cada capítulo tiene la siguiente estructura:

Texto

Se trata de un texto generalmente de tipo expositivo que da información sobre el tema del capítulo. Al lado de cada texto, suele haber imágenes que lo ilustran e informaciones complementarias que hemos clasificado en recomendaciones (direcciones de páginas web, libros, lugares de interés, películas) y curiosidades (informaciones curiosas que no aparecen en el texto principal). Los textos aportados por el manual son sencillos y adecuados al nivel B1, pero no por ello evitan utilizar el léxico más usual y específico para cada tema. Por esta razón, hemos prestado especial atención a las actividades de trabajo léxico.

Actividades

Después de los capítulos hay una página de actividades para trabajar el texto, ampliar la información proporcionada y utilizar la lengua a partir de lo que se ha aprendido. Para cada tipo de actividad hay un icono distinto. Estos son los tipos de actividades que hemos propuesto:

Comprensión lectora. Proponemos distintos tipos de actividades de comprensión lectora: actividades para que el alumno anticipe el contenido del texto y piense en lo que ya sabe de ese tema (en ese caso suelen aparecer antes del texto); actividades de comprensión global, en las que el alumno tendrá que entender la información esencial del texto, relacionarla con sus conocimientos previos, y reaccionar ante lo que ha leído (dando su opinión o expresando sus gustos); actividades destinadas a que el alumno encuentre información precisa en el texto.

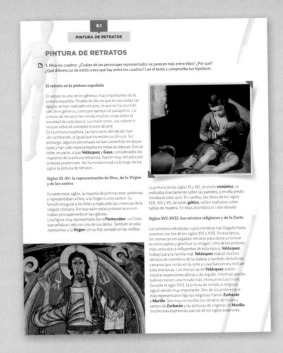

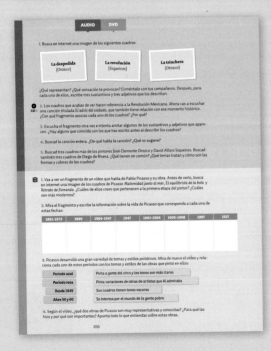

Léxico. Estas son actividades destinadas a trabajar el léxico que ha aparecido en el texto. Por lo general, están relacionadas con el tema del capítulo. Proponemos distintos tipos de ejercicios: clasificación por campos semánticos, ejercicios de derivación, crucigramas y sopas de letras, búsqueda de sinónimos o antónimos, construcción de frases con determinadas palabras, etc.

Internet. Suelen ser actividades para ampliar el conocimiento sobre el tema propuesto en el capítulo, o bien para descubrir aspectos nuevos o contrastar distintas informaciones. En ellas se pide al alumno que busque información en internet para exponerla en clase, alargar el texto de la unidad, etc. Casi siempre se dan indicaciones sobre las páginas que pueden consultarse.

Producción. Son actividades de producción oral o escrita en las que se invita al alumno a hacer algo con lo que ha aprendido. Cuando se trata de actividades largas o complejas, están pautadas y se especifica qué pasos hay que seguir. En estas actividades hemos tenido en cuenta que el producto que se le pide al alumno sea real (un tipo de texto habitual) en el contexto temático en el que ha trabajado.

Vídeo y audición. Al final de cada unidad, el alumno encontrará una página en la que se le propone una actividad de comprensión auditiva y otra que gira en torno al visionado de un vídeo. Ambas tratan temas relacionados con el de la unidad. Estas actividades están muy pautadas para que la comprensión sea más eficaz. El objetivo de esta parte es que el alumno ponga en práctica la destreza auditiva y que tenga acceso a documentos reales producidos en distintos países de habla hispana. III

¿POR QUÉ CULTURA?

> "Una cultura se compone de todos los que la portamos, la conocemos, apreciamos y aun procuramos enriquecerla y continuarla".
>
> **CARLOS FUENTES**, EL ESPEJO ENTERRADO

¿Qué entendemos por cultura? ¿Una cultura o varias? ¿Fija o evolutiva? ¿Simple o compleja? ¿Colectiva o individual? ¿Innata o aprendida? Estas son posibles definiciones del concepto cultura.

> "La representación que un grupo se da de sí mismo y de los otros a través de sus producciones materiales, obras de arte, literatura, instituciones sociales y aún los objetos de la vida cotidiana y los mecanismos que aseguran su perennidad y su transmisión".
>
> **D. JODELET**, LES REPRÉSENTATIONS SOCIALES

> "El sistema de creencias, valores, costumbres, conductas y artefactos compartidos, que los miembros de una sociedad usan en interacción entre ellos mismos y con su mundo, y que son transmitidos de generación en generación a través del aprendizaje".
>
> **PLOG Y BATES**, CULTURAL ANTROPHOLOGY

> "Lo cultural no es una realidad global, es una realidad fragmentada, múltiple, plural, que depende de numerosos factores tales como el lugar geográfico, el estrato social, el sexo, las categorías socioprofesionales, etc. Hay que hablar, pues, de las características culturales de un grupo social dado, de una época dada, y ver las cosas bajo el ángulo de la pluralidad".
>
> **CHARAUDEAU**
> L'INTERCULTUREL. NOUVELLE MODE OU PRATIQUE NOUVELLE?

Según el MCER (Marco común europeo de referencia) estas son algunas de las características socioculturales de una sociedad que todo el que aprende un idioma extranjero debería conocer:

1. **La vida diaria:** horas de comidas, días festivos, horarios de trabajo, actividades de ocio.

2. **Condiciones de vida:** niveles de vida (con variaciones regionales, sociales y culturales), condiciones de la vivienda, asistencia social.

3. **Relaciones personales:** estructura social, relaciones entre sexos, entre familiares, entre generaciones, entre comunidades, en situaciones de trabajo, con la administración, entre grupos políticos y religiosos.

4. **Los valores, las creencias y actitudes respecto a distintos factores como:** clase social, grupos profesionales, riqueza, culturas regionales, seguridad, instituciones, tradición y cambio social, personajes históricos y acontecimientos representativos, minorías, identidad nacional, países, estados y pueblos extranjeros, política, artes (música, artes visuales, literatura, teatro, canciones y música populares), religión, humor.

5. **El lenguaje corporal.**

6. **Las convenciones sociales:** puntualidad, regalos, vestidos, aperitivos, bebidas, comidas, tabúes relacionados con las conversaciones y el comportamiento, duración de la estancia, despedidas.

7. **El comportamiento ritual:** ceremonias y prácticas religiosas, nacimiento, matrimonio y muerte; comportamiento del público y de los espectadores en representaciones y ceremonias públicas; celebraciones, festividades, etc.

CULTURA Y LENGUA

Cuando nos comunicamos con otras personas no lo decimos todo. Tras las palabras o los gestos que usamos existe un conocimiento que compartimos con los demás y gracias al cual logramos comunicarnos de manera satisfactoria. Se trata en gran medida de un conocimiento sociocultural. Gracias a él, podemos entender a qué se refiere nuestro interlocutor.

Por ejemplo, si alguien nos dice que nuestra idea es quijotesca, sabemos que hace referencia a Don Quijote, un personaje literario que no veía la realidad tal como era, y por lo tanto entenderemos que nuestra idea no es realista. Y si encendemos el televisor y oímos que este año la gala de los Goya dará que hablar, pensaremos en los premios de cine que se celebran cada año en España. También nos basamos en ese conocimiento para saber cómo tenemos que decir las cosas para conseguir lo que queremos y, por lo tanto, para interpretar las actuaciones de los demás y su forma de dirigirse a nosotros.

Así pues, si tenemos que rechazar una invitación sabemos que es adecuado justificarse, porque de lo contrario pareceríamos bruscos y nuestro interlocutor podría pensar que estamos enfadados. Si respondemos una llamada de teléfono y el interlocutor nos pregunta si está Mario en casa no nos enfadaremos porque no se ha presentado antes, ya que sabemos que en España se hace así. Y si acudimos a una cena en la que varias personas hablan a la vez, no nos sentiremos ofendidos; al contrario, pensaremos que la conversación suscita interés y que los comensales se entienden bien. Asimismo, gracias a ese conocimiento sociocultural podemos identificar a la gente (o lo intentamos), saber de dónde viene, a qué ámbito social pertenece, qué tipo de profesión tiene, etc. Si oímos decir a alguien "qué padre" o "órale" pensaremos que es mexi-

⊕ *El flamenco, originario de la región de Andalucía, se ha convertido en un género de música y danza internacional.*

cano o por lo menos que ha estado mucho tiempo allí, ya que esas expresiones son propias del español de México. Y si alguien nos dice que comió un asado en su jardín el día de Navidad deduciremos que es del Hemisferio Sur, porque allí hace calor en Navidad, y que puede que sea argentino o chileno, ya que allí el asado es una comida típica.

La lengua evoluciona con la cultura (es fruto de ella) y a su vez la cultura se expresa mediante la lengua. Las representaciones que nos hacemos de las cosas, nuestra forma de actuar e incluso de presentarnos ante el mundo y distinguirnos de los demás mediante el uso de la lengua están influenciadas por la cultura. Por eso, cuando aprendemos un idioma extranjero no podemos olvidar esta dimensión sociocultural de la lengua.

Sin embargo, adquirir ese conocimiento sociocultural no es tan sencillo. No hay que olvidar que tenemos otros referentes y marcos culturales, y que nuestra forma de ver el mundo y de actuar en él están influenciados por ellos. A menudo, ni siquiera somos conscientes de ello y por eso podemos sentirnos incómodos frente a ciertos comportamientos que entran en conflicto con los nuestros. Incluso es posible que tengamos prejuicios o estereotipos de "esa cultura", producto de las representaciones que nuestra sociedad se ha hecho de ella. Por eso, conocer los aspectos socioculturales de la lengua que aprendemos siempre exige reflexionar y comparar, contrastar con nuestro propio conocimiento sociocultural. Se trata de descubrir aspectos nuevos y analizarlos, preguntándose por qué son así y qué significado pueden tener en otras sociedades distintas de la nuestra.

Así, poco a poco, iremos adquiriendo competencia intercultural, es decir, la capacidad de relacionar nuestros referentes y marcos culturales con los de la lengua extranjera que queremos aprender a manejar. Y podremos comunicarnos en distintos ámbitos de las sociedades en las que se habla esa lengua, sin dejar de ser quienes somos, sabiendo cómo interpretar lo que nos dicen y cómo los demás pueden interpretar lo que nosotros decimos. III

⊕ *El asado es una comida muy típica en países como Chile y Argentina.*

HISTORIA

- España: historia y organización política
- Colonización e independencia de América
- Dictaduras y dictadores
- Revoluciones: mexicana y cubana
- Alianzas regionales

1

"La historia de un grupo humano es su memoria colectiva y cumple respecto a él la misma función que la memoria personal en un individuo: la de darle un sentido a la identidad que le hace ser sí mismo y no otro".

Josep Fontana, La historia de los hombres

ESPAÑA: HISTORIA Y ORGANIZACIÓN POLÍTICA

1. Antes de leer el texto, intenta responder estas preguntas sobre la historia y la organización política de tu país. Después, haz lo mismo pero pensando en España. Finalmente, lee el texto y comprueba si tus respuestas eran acertadas.

a) ¿Participó en la II Guerra Mundial?
b) ¿Cuál ha sido la última guerra que ha tenido lugar en su territorio?
c) ¿Ha tenido alguna vez otros territorios? ¿Cuáles? ¿Cuándo?
d) ¿Es una república o una monarquía?
e) ¿Ha estado ocupado por otros pueblos o estados? ¿Cuáles?
f) ¿Qué nombre recibe el Jefe de Estado? ¿Y el jefe de gobierno?
g) ¿Cada cuánto tiempo acuden los ciudadanos a votar? ¿Para qué?
h) ¿Es un país democrático? ¿Desde cuándo?

Como ocurre con casi todos los países, España se ha formado a lo largo de los siglos: es el resultado de mezclas de pueblos, de guerras, conquistas y decisiones políticas. La España de hoy (tanto su territorio como las culturas que existen en ella y su organización política) es el fruto de muchos acontecimientos históricos.

⊘ *Las ruinas griegas de Ampurias datan del s. VI a.C.*

Un mosaico de pueblos

Los primeros pueblos. No se sabe exactamente cuándo llegaron, pero alrededor del siglo VI a.C. ya había dos pueblos en la Península Ibérica: los **íberos** y los **celtas**. Los íberos se establecieron en el este de la península. Se sabe que vivían en pueblos fortificados alejados del mar, en lugares elevados, y aunque se han conservado algunos de sus escritos, no se conoce su significado. Los celtas se establecieron en el noroeste de la Península. Allí, especialmente en las zonas que corresponden a Galicia y Asturias, dejaron algunas tradiciones populares, objetos artísticos y monumentos.

Otros pueblos que se dedicaban al comercio crearon colonias en distintos lugares de la península. Los **fenicios**, que venían de lo que hoy es el Líbano, fueron los fundadores de la ciudad de Cádiz (siglo XI a.C.). Los **griegos** también llegaron a las costas de la Península, procedentes de Marsella, y fundaron colonias en Ampurias y en Rosas (siglo VI a.C.), ambas en Gerona. Los **cartagineses**, descendientes de los fenicios, vinieron del norte de África y ocuparon parte de la península. Allí fundaron la ciudad de Cartagena (siglo III a.C.), que lleva su nombre (Cartago Nova).

Romanos: Ocuparon la Península entre los siglos III a.C. y el I a.C., tras varias luchas contra los cartagineses, y la gobernaron hasta el siglo V d.C. Los romanos dejaron su lengua, el **latín**, de la que provienen el español y otras lenguas europeas (las llamadas lenguas románicas). De hecho, el nombre de España viene de los romanos, ya que la provincia romana que comprendía los territorios que hoy forman España se llamaba **Hispania**. También legaron sus leyes e incluso su religión, el **cristianismo**. Además, construyeron muchos edificios (el Acueducto de Segovia, el Teatro de Mérida, etc.) y vías que facilitaron la comunicación con las ciudades y provincias del Imperio romano. Muchas ciudades españolas fueron fundadas por los romanos. Las más importantes durante el Imperio romano fueron Tarragona (Tarraco) y Mérida (Emérita Augusta).

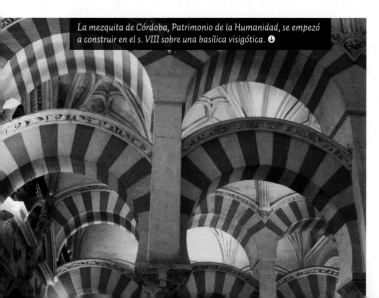

La mezquita de Córdoba, Patrimonio de la Humanidad, se empezó a construir en el s. VIII sobre una basílica visigótica. ⊙

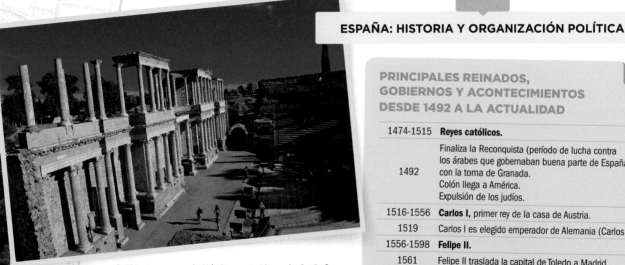

⊙ *El teatro romano de Mérida, construido en el s. I a.C., fue declarado Patrimonio de la Humanidad en 1993 por la UNESCO.*

Visigodos. Este pueblo germánico que invadió la Península después de la caída del Imperio Romano de Occidente (en el siglo V d.C.) llegó a gobernar en toda la Península. Los visigodos establecieron su capital en **Toledo**, adoptaron muchas de las costumbres romanas e incluso se convirtieron al cristianismo. En España hay bastantes muestras del arte visigodo, como la Iglesia de San Juan de Baños o la de San Pedro de la Nave, ambas en Castilla y León.

Árabes. En el año 711, los árabes del norte de África llegaron a la Península y, en muy pocos años, derrotaron al último rey visigodo. Establecieron su capital en Córdoba, que en el siglo X era la ciudad más importante de Europa, y fundaron un estado independiente, el **Califato de Córdoba**, llamado también **Al-Andalus**. Durante los ocho siglos que estuvieron en la Península ejercieron una gran influencia en muchos ámbitos: la lengua española cuenta con más de 4.000 palabras procedentes del árabe, sobre todo relacionadas con productos alimenticios (azúcar), con nuevos cultivos (algodón), con plantas (azahar) o con la ciencia (álgebra). También dejaron muestras de su arquitectura (la mezquita de Córdoba o la Alhambra de Granada) y legaron técnicas de agricultura (como el regadío) y conocimientos científicos, especialmente en el terreno de las matemáticas y la astronomía.

La organización política

España es una democracia desde 1977, pero, ¿cómo se organiza? ¿Quién representa a los ciudadanos? ¿Cómo eligen estos a sus representantes?

El estado

El estado español está formado por tres poderes: el **legislativo**, el **ejecutivo** y el **judicial**. El poder legisla-

PRINCIPALES REINADOS, GOBIERNOS Y ACONTECIMIENTOS DESDE 1492 A LA ACTUALIDAD

1474-1515	**Reyes católicos.**
1492	Finaliza la Reconquista (período de lucha contra los árabes que gobernaban buena parte de España) con la toma de Granada. Colón llega a América. Expulsión de los judíos.
1516-1556	**Carlos I,** primer rey de la casa de Austria.
1519	Carlos I es elegido emperador de Alemania (Carlos V).
1556-1598	**Felipe II.**
1561	Felipe II traslada la capital de Toledo a Madrid.
1580	Se le reconoce como rey en Portugal.
1598-1621	**Felipe III.**
1601-1606	La Corte se traslada a Valladolid.
1618	Empieza la Guerra de los 30 Años, una guerra de religiones en Europa.
1621-1665	**Felipe IV.**
1648	Paz de Westfalia, España reconoce la independencia de los Países Bajos.
1665-1700	**Carlos II.**
1668	Tratado de Lisboa, se reconoce la independencia de Portugal.
1700-1746	**Felipe V,** primer rey de la dinastía borbónica.
1701-1714	Guerra de Sucesión, lucha entre la dinastía borbónica y la de Austria por el poder.
1746-1759	**Fernando VI.**
1759-1778	**Carlos III.**
1778-1808	**Carlos IV.**
1808-1813	**José I** (hermano de Napoleón).
1808-1814	Guerra de la Independencia, contra la invasión napoleónica.
1812	Constitución de Cádiz.
1813-1833	**Fernando VII.**
1833-1868	**Isabel II.**
1868	Revolución de 1868 (La Gloriosa).
1871-1873	**Amadeo I de Saboya.**
1873-1874	**Primera República.**
1874-1885	**Alfonso XII.**
1886-1931	**Alfonso XIII.**
1923-1930	**Dictadura de Primo de Rivera.**
1931-1936	**Segunda República.**
1936-1939	Guerra civil.
1939-1975	**Dictadura de Franco.**
1975	**Juan Carlos I,** monarquía parlamentaria.
1979	Constitución vigente en la actualidad.
1986	Entrada de España en la Unión Europea.
1977-1982	**Adolfo Suárez** es presidente del gobierno.
1982-1996	**Felipe González** es presidente del gobierno.
1996-2000	**José María Aznar** es presidente del gobierno.
2000	**José Luís Rodríguez Zapatero** es presidente del gobierno.

tivo, que hace las leyes, lo tienen las Cortes (nombre que recibe el parlamento en España), que están formadas por dos cámaras, el Congreso y el Senado. El poder ejecutivo, que gobierna y hace cumplir las leyes, lo tiene el gobierno, formado por el Presidente (jefe de gobierno) y una serie de ministros.

Los ciudadanos españoles eligen a los 350 diputados del Congreso, que son los encargados de decidir qué partido gobernará: los diputados votan y el candidato más votado forma gobierno. Es decir, los ciudadanos eligen indirectamente al gobierno.

La monarquía

España es una monarquía parlamentaria, en la que el **Rey** es el **jefe del estado**. Tiene una función representativa (no gobierna). La **dinastía de los Borbones**, de origen francés, es la que reina en España. Don Juan Carlos y Doña Sofía son los reyes de España. Él es hijo de Juan de Borbón, que nunca llegó a ser rey ya que tuvo que exiliarse con su familia a Italia después de la proclamación de la II República en 1931. Ella es hija del rey Pablo I de Grecia. Los hijos de los reyes son la Infanta Elena, la Infanta Cristina y el Príncipe Don Felipe.

Las comunidades autónomas

Desde 1979, España está dividida en **17 comunidades autónomas**, que se corresponden aproximadamente con las regiones históricas que existían antes de esta fecha. Cada una de ellas está dividida, a su vez, en provincias. Las comunidades autónomas tienen competencias en algunas materias, como la educación o la sanidad. Cada comunidad funciona como un pequeño estado y se reparte, por lo tanto, los poderes con el gobierno central. Algunas comu-

⊕ *El palacio de Ajuria Enea es la residencia oficial del lehendakari (presidente) de la comunidad autónoma del País Vasco.*

LA GUERRA CIVIL

Fue un conflicto bélico que enfrentó al país durante tres años, desde 1936 hasta 1939, y ha sido la última guerra que se ha producido en España. Puede decirse que esta guerra fue la consecuencia de largos años de inestabilidad y múltiples cambios de gobierno (algunos de ellos, producidos por golpes de estado) que marcaron el final del siglo XIX y el principio del XX en España: la I República duró poco más de un año (1873-1874) y tuvo cuatro presidentes distintos; en 1923, Miguel Primo de Rivera estableció una dictadura que duró ocho años; tras la caída del dictador, en 1931, se instauró la II República, que duró hasta 1936 y en la que hubo también varios cambios de gobierno.

En 1936, gran parte del Ejército, apoyado por la Iglesia, los monárquicos y los partidos de derechas se rebelaron contra el gobierno republicano (formado por el Frente Popular, una coalición electoral de izquierdas). Este hecho desencadenó la guerra, que enfrentó al gobierno y a sus defensores contra los rebeldes, dirigidos por el general Francisco Franco, que eran de ideología fascista y que se llamaban a sí mismos "la España nacional".

A pesar de que fue una guerra civil, no pasó desapercibida en Europa. De hecho, varios países intervinieron: la Alemania de Hitler y la Italia de Mussolini ayudaron a los franquistas, pues tenían ideologías afines, y Rusia dio apoyo a la República española con el envío de armas. Además, hubo muchos voluntarios de diversos países que defendieron a la República en las llamadas Brigadas Internacionales. Algunos de ellos fueron el escritor inglés Georges Orwell y el pintor mexicano David Alfaro Siqueiros, entre otros.

La Guerra Civil terminó con la caída de Cataluña, en 1939, a manos del ejército de Franco. Durante tres años hubo muchas víctimas, tanto en las trincheras como en los bombardeos sobre la población civil. Picasso retrató uno de estos hechos en el cuadro Guernica, que presentó en la Exposición Universal de París del año 1937: la obra transmite el horror que produjo el bombardeo de Guernica (un pueblo del País Vasco) por aviones nazis en 1937.

Esta guerra tuvo graves consecuencias, entre ellas, el exilio de muchos republicanos (principalmente a Francia, México y Chile) y la instauración en España de la dictadura de Franco, que duró hasta 1975, año en el que murió el dictador (sabrás algo más sobre este tema en el punto 1.3).

nidades tienen más competencias que otras. Por ejemplo, el País Vasco y Navarra recaudan los impuestos y después transfieren al Estado un porcentaje en compensación por lo que este realiza en esas comunidades. En otras comunidades ocurre lo contrario: el Estado recauda los impuestos y da a cada comunidad lo que necesita para gestionar sus competencias. Cada año, el Estado acuerda con las comunidades qué cantidad les va a dar.

La participación ciudadana

Los ciudadanos españoles votan, generalmente, en cuatro ocasiones: para elegir el **gobierno local** (el alcalde de su pueblo o ciudad), el **gobierno autonómico**, el **gobierno de España** y a los diputados para el **Parlamento Europeo**. Cada una de estas elecciones se realiza en un momento distinto del año. Las tres primeras son, normalmente, una vez cada cuatro años, a no ser que se convoquen elecciones anticipadas. Las últimas, para el Parlamento Europeo, se realizan una vez cada cinco años. En algunas ocasiones, los ciudadanos votan para dar su opinión sobre asuntos concretos. En estos casos, no se consideran elecciones, sino **referéndums**. En las elecciones españolas solo se realiza una ronda de votaciones.

Principales partidos políticos

En España hay partidos que representan a todos los ciudadanos españoles porque se presentan en todo el territorio español, y otros que representan solo a algunas comunidades autónomas, ya que se presentan solo allí. A algunos de estos partidos se les conoce con el nombre de **partidos nacionalistas.**

Principales partidos políticos a los que se puede votar en el territorio español:

- Partido Socialista Obrero Español (PSOE)
- Partido Popular (PP)
- Izquierda Unida (IU)
- Unión para el Progreso y la Democracia (UPD)

Partidos que se presentan solo en algunas comunidades autónomas:

- Convergència i Unió (CIU)
- Esquerra Republicana de Catalunya (ERC)
- Partido Nacionalista Vasco (PNV)
- Eusko Alkartasuna
- Aralar
- Bloque Nacionalista Galego (BNG)
- Coalición Canaria (PNC). ▮▮▮

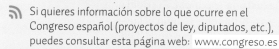

RECOMENDACIONES

📶 Si quieres información sobre lo que ocurre en el Congreso español (proyectos de ley, diputados, etc.), puedes consultar esta página web: www.congreso.es

📹 Si te interesa la Guerra Civil Española puedes ver las siguientes películas: *Tierra de Libertad*, *Tiempo Roto*, *La lengua de las mariposas* o *Soldados de Salamina* (estas dos últimas se basan en novelas).
También puedes ver en internet muchas fotografías de la guerra hechas por el artista Robert Capa.

LA CONSTITUCIÓN DE 1978

La Constitución que votaron los españoles en 1978 por referéndum es uno de los logros de la Transición, nombre que recibe el período histórico en el que se pasó de la dictadura a la democracia (1975-1979, aproximadamente). Tras la muerte de Franco en 1975, el rey Juan Carlos I, al que el dictador había nombrado su sucesor en la Jefatura del Estado, decidió confiar a Adolfo Suárez la tarea de preparar un cambio de sistema político en España. Suárez formó un partido (llamado UCD, Unión de Centro Democrático) que ganó las elecciones en 1977. Ya en el gobierno, organizó la redacción de la Constitución Española, que recoge derechos (de opinión, de reunión, de libertad religiosa) que habían sido prohibidos por la dictadura. Su aprobación supuso muchos avances sociales. Por ejemplo, se introdujo la ley del divorcio y la del aborto, se otorgó la igualdad civil a los hijos nacidos fuera del matrimonio y se consiguió la igualdad ante la ley de hombres y mujeres.

¿SABÍAS QUE...

...en la Hispania romana nacieron dos emperadores romanos, Trajano y Adriano?

...los visigodos elegían a sus reyes?

...los Reyes Católicos expulsaron a los judíos de España en 1492 y que en 1478 fundaron el Tribunal de la Inquisición?

...América recibió su nombre por Américo Vespuccio (un navegante italiano que fue de los primeros en afirmar que América era un continente distinto de Asia)?

...la primera mitad del siglo XVII se conoce con el nombre de Siglo de Oro de las letras y las artes españolas?

...la palabra guerrillero viene del español, ya que la primera guerra de guerrillas tuvo lugar durante la Guerra de la Independencia, en la que los españoles combatieron contra las tropas de Napoleón?

...España no participó ni en la I Guerra Mundial ni en la II?

...que en España las mujeres votaron por primera vez en 1933?

🔘 *El Congreso de los Diputados y el Senado forman las Cortes Generales (o Parlamento), que representan al pueblo español.*

ESPAÑA: HISTORIA Y ORGANIZACIÓN POLÍTICA

2. ¿Hay algo que no te parezca bien del sistema político español? ¿Qué? Di también cuál de las características del sistema español crees que es positiva y te gustaría que tuviera tu país.

3. Ahora lee el texto y responde estas preguntas:

En España el Jefe de Estado es...
- ☐ a) El Presidente
- ☐ b) El Rey
- ☐ c) El Primer Ministro

Los ciudadanos españoles votan para elegir a los diputados en...
- ☐ a) Una sola ronda
- ☐ b) Dos rondas
- ☐ c) Tantas como sea necesario

España se divide, administrativamente en...
- ☐ a) Cantones
- ☐ b) Departamentos
- ☐ c) Comunidades Autónomas

Los grupos de extranjeros que fueron a luchar a España para ayudar a la República se llamaron...
- ☐ a) La España nacional
- ☐ b) Brigadas Internacionales
- ☐ c) Franquistas

En España las elecciones son cada cuatro años, excepto...
- ☐ a) Las elecciones autonómicas
- ☐ b) Las elecciones locales
- ☐ c) Las del Parlamento Europeo

Etapa en la que se pasó de la dictadura a la democracia.
- ☐ a) Guerra civil
- ☐ b) Transición
- ☐ c) Reconquista

Az 4. Estos verbos se utilizan mucho en los textos sobre historia. Relaciónalos con sus sinónimos. Después, escribe cinco frases con cinco de estos verbos para explicar cosas sobre la historia de tu país.

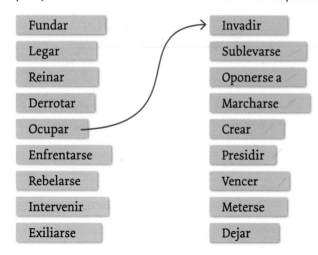

Fundar	Invadir
Legar	Sublevarse
Reinar	Oponerse a
Derrotar	Marcharse
Ocupar	Crear
Enfrentarse	Presidir
Rebelarse	Vencer
Intervenir	Meterse
Exiliarse	Dejar

5. Organizad entre todos una exposición fotográfica que ilustre los acontecimientos históricos que aparecen en el cuadro cronológico. Formad grupos y repartíos la información. Cada grupo buscará una o dos fotos que ilustren los acontecimientos que le hayan tocado. Después, buscad más información sobre ese período y compartid los puntos clave con vuestros compañeros.

6. En grupos de tres, buscad información sobre un personaje de la historia española. Escribid una pequeña biografía de su vida y exponedla ante vuestros compañeros. Aquí tenéis algunas sugerencias: Séneca, Adriano, Franco, Azaña, Cervantes, Goya, Picasso, Miró, Lorca, Averroes, Felipe II, los Reyes Católicos, Miguel Primo de Rivera, Carlos I, Felipe V.

7. Dividid la clase en grupos. Cada uno de ellos buscará información sobre los principales partidos políticos españoles. Después, los presentaréis al resto de la clase. Explicad desde cuándo existen, cuál es su orientación política, quién es el jefe del partido actualmente y dónde gobiernan o han gobernado. Buscad algún cartel de la última campaña electoral, mostrádselo a vuestros compañeros y comentad el eslogan y la imagen.

COLONIZACIÓN E INDEPENDENCIA DE AMÉRICA

1. A lo largo de su historia, tu país ¿ha sido colonizador o colonizado? ¿Cuáles son las fechas importantes de la historia de tu país? En cinco minutos, haz una lista de cinco o seis fechas y acontecimientos históricos. Luego lee el texto y realiza el resto de actividades.

Entre los siglos XV y XIX, algunos países europeos conquistaron grandes territorios de los continentes asiático, africano y americano. Es lo que se conoce como **colonialismo moderno**. La colonización española de América comenzó a mediados del siglo XV, cuando los turcos interrumpieron el comercio de especias con Oriente en el Mediterráneo y fue necesario buscar rutas alternativas.

Colonización de América

Antes de la llegada de **Cristóbal Colón**, América contaba con numerosas civilizaciones, como la Azteca, la Inca o la Maya, entre otras. Después de la llegada de Cristobal Colón a América en **1492**, la Corona Española sometió a los pueblos indígenas y saqueó sus riquezas. Empezó así uno de los procesos de colonización más grandes de la historia.

El idioma español jugó un papel unificador en la sociedad colonial al ser impuesto a lo largo y ancho del Imperio. Algo similar ocurrió con la forma de vestir, la gastronomía, las costumbres y la religión de los conquistadores.

Simón Bolívar, llamado el Libertador, fue una figura clave en la lucha por la independencia de los países latinoamericanos.

Fiebre del oro, fiebre de la plata… Fiebre de independencia

El imperio español empezó a debilitarse tras la invasión napoleónica. Unos años más tarde, en Suramérica, comenzaron a surgir las primeras **juntas de criollos** para sustituir a los **virreyes** (autoridades impuestas directamente por el Rey para gobernar en su nombre). Estas iniciativas eran reprimidas con violencia por las autoridades y todas fueron derrotadas, excepto la Primera Junta de Buenos Aires (Argentina) en 1810.

Así comenzó el proceso de descolonización. Este acontecimiento dio lugar a una campaña libertadora que empezó en la actual Argentina con **José de San Martín** y terminó en 1824 de la mano de **Simón Bolívar**. Fruto de esta gran campaña libertadora nacieron los primeros estados independientes: Argentina, Bolivia, Colombia, Chile, Ecuador, Panamá, Paraguay, Perú, Uruguay y Venezuela. Le siguieron otros países centroamericanos como México, Costa Rica, El Salvador, Guatemala, Honduras, Nicaragua y República Dominicana.

Los últimos estados americanos que se independizaron de España fueron Cuba y Puerto Rico, en 1898. Con este hecho terminó el proceso de descolonización en América.

Actualmente, los países americanos de habla hispana, junto con España y Portugal, se han organizado en la **Comunidad Iberoamericana de Naciones**. |||

Puedes profundizar en el tema con el libro *Las venas abiertas de América Latina*, del escritor uruguayo Eduardo Galeano. Su obra aporta un punto de vista diferente sobre la colonización del continente, con referencias al contexto histórico de la época. También ayuda a comprender realidad latinoamericana.

COLONIZACIÓN E INDEPENDENCIA DE AMÉRICA

2. Haz un esquema cronológico de los hechos más importantes citados en el texto.

3. ¿Qué pasaba en tu país el año en que España perdió su última colonia en América? ¿Y el año en que los españoles desembarcaron en el continente americano?

Az 4. Busca en el texto las palabras que signifiquen:

Acción de dominar un país o territorio y sus habitantes con pobladores de otra región.

Persona que representaba al rey en cada uno de los territorios de la monarquía española en América.

Proceso inverso al colonialismo que se produce cuando una colonia consigue su independencia.

Grupo de personas nombradas para gobernar un territorio o una ciudad.

prevent

Acción de impedir por la fuerza que alguien alcance sus objetivos.

5. Estos son algunos personajes históricos que lucharon contra el Imperio español:

- Túpac Amaru II (1742-1781), líder quechua.
- José de San Martín (1778-1850), político y militar argentino.
- Bernardo O'Higgins (1778-1842), político y militar chileno.
- Simón Bolívar (1783-1830), político y militar venezolano.
- Agustín de Iturbide (1783-1824), político y militar mexicano.
- José Julián Martí y Pérez (1853-1895), político cubano.

Amplía las biografías de estos personajes buscando en Google "cubasi libertadores de américa". Encontrarás un gráfico interactivo sobre ellos.

6. Recupera tus apuntes de la actividad 1 y redacta un breve ensayo sobre la historia de tu país; menciona si fue colonizado y por quién, o cuántas colonias tuvo y hasta cuándo.

7. ¿Has visto alguna película o has leído alguna novela relacionada con alguna de las informaciones del texto? Resúmela en 5-10 líneas.

DICTADURAS Y DICTADORES

1. Discutid el significado de las palabras "dictadura" y "dictador" en pequeños grupos. Redactad vuestras propias definiciones de los términos y leed el texto que sigue.

Según el Diccionario de la RAE, una dictadura es un régimen político que concentra por la fuerza todo el poder en una persona o en un grupo u organización, y que reprime los derechos humanos y las libertades individuales. Numerosos países del mundo han sufrido dictaduras a lo largo de su historia. Durante esos períodos se suelen suprimir las libertades civiles y se impide a los ciudadanos votar. Por lo general, las dictaduras se imponen mediante golpes de estado militares y suelen coincidir con crisis económicas o políticas. Los dictadores asumen de forma absoluta todos los poderes políticos extraordinarios del Estado y los ejercen sin limitación jurídica.

El franquismo en España

El general **Francisco Franco** fue el jefe supremo del régimen autoritario conocido como **franquismo**. Franco se levantó en armas en 1936 contra la República provocando tres años de Guerra Civil. En 1939 venció la guerra e instauró una dictadura que duró 39 años; terminó con su muerte, en 1975.

El franquismo declaró ilegales los partidos políticos y se caracterizó por la restricción de libertades y la ausencia de división de poderes. Fueron frecuentes los abusos policiales, la represión política e ideológica, la falta de garantías jurídicas y las violaciones de los derechos humanos. Durante el régimen franquista se llevaron a cabo entre 40.000 y 50.000 ejecuciones.

Las dictaduras en América Latina

Numerosos países latinoamericanos sufrieron dictaduras durante la segunda mitad del siglo XX. Un claro exponente es Chile, cuya dictadura comenzó con el golpe de Estado de 1973 protagonizado por **Augusto Pinochet**.

El régimen de Pinochet formó parte de la Operación Cóndor junto con las dictaduras militares de Argentina, Bolivia, Brasil, Paraguay y Uruguay. El objetivo de esta operación, implantada por las dictaduras del Cono Sur, era perseguir a sus opositores políticos en los países en los que estos se refugiaron.

En la actualidad, el único país hispanoamericano que continúa bajo el yugo de una dictadura, esta de ideología socialista, es la Cuba de **Fidel Castro**. ▐▐▐

PRINCIPALES DICTADORES DEL MUNDO HISPANO

Argentina, Jorge Rafael Videla (1976-1981)
Bolivia, Hugo Banzer (1971-1978)
Brasil, Humberto Branco (1964-1967)
Chile, Augusto Pinochet (1973-1990)
Colombia, Gustavo Rojas Pinilla (1953-1957)
Cuba, Fidel y Raúl Castro (1959-hasta la actualidad)
Ecuador, Alfredo Poveda Burbano (1976-1979)
España, Francisco Franco (1939-1975)
Guatemala, Carlos Castillo Armas (1954-1957)
Honduras, Tiburcio Carias Andino (1933-1948)
México, Porfirio Díaz (1876-1911)
Nicaragua, Anastasio Somoza (1937-1947; 1950-1956)
Panamá, Manuel Antonio Noriega (1983-1989)
Paraguay, Alfredo Stroessner (1954-1989)
Perú, Francisco Morales Bermúdez (1975-1980)
República Dominicana, Rafael L. Trujillo (1930-1961)
Uruguay, Aparicio Méndez (1976-1981)
Venezuela, Marcos Pérez Jiménez (1952-1958)
Solo un país hispano nunca ha tenido dictaduras: Costa Rica.

© *Pintada contra Pinochet en Santiago de Chile.*

2. Comparad las definiciones que habéis escrito al principio y las definiciones de "dictadura" y "dictador" que expone el texto. ¿En qué se parecen y en qué se diferencian de las vuestras?

3. Ordena cronológicamente las dictaduras de los países hispanos presentados alfabéticamente.

- ¿Cuál fue la más larga?
- ¿Y la más breve?
- ¿Cuáles se produjeron durante el siglo XIX?
- ¿Cuáles en la primera mitad del siglo XX?
- ¿Cuáles en la segunda mitad?
- ¿Hay algún momento histórico en que la mayoría de los países tuvieron dictaduras?
- ¿En qué década fue?

4. Piensa en un nuevo título para el texto y para sus diferentes partes.

Az 5. Lee el siguiente párrafo:

> En algunos países latinoamericanos, como Argentina, se usa la expresión "gobierno de facto" para designar aquellos gobiernos que no tienen fundamento constitucional. Por ejemplo, un gobierno que surge después de un golpe de estado.

Ahora busca en el texto qué palabras puedes reemplazar por "gobierno de facto".

6. En parejas, buscad ejemplos de países que actualmente estén gobernados por dictadores. ¿De qué continente son? ¿Hay alguno hispanohablante? ¿Desde cuándo están gobernados por dictadores? ¿Encuentras alguna relación entre ellos? Elaborad un texto de denuncia (artículo, póster, recogida de firmas…) sobre la situación actual del país elegido para presentarlo al resto de la clase.

7. Investiga en la página web de la ONU (www.un.org/es/rights/) sobre violaciones de los derechos humanos cometidas por las dictaduras. Apunta los datos que más te llamen la atención e informa a tus compañeros sobre los resultados de tu investigación.

8. ¿Conoces a la agrupación de esta imagen? Busca información en internet y describe brevemente a qué país pertenece, cuándo se formó la agrupación, quién era el dictador en ese momento, cuál es su labor actual y otros datos que creas importantes. Presenta tus resultados al resto de la clase. Puedes empezar tu búsqueda en: www.madres.org

9. ¿Tu país ha sufrido alguna dictadura? Escribe lo que sepas sobre el tema o sobre algún dictador que conozcas, y justifica tu elección.

10. Entre todos vais a escoger uno de los siguientes temas para debatir en clase. Vuestro profesor os indicará los pasos a seguir.
- Fidel Castro: ¿dictador o revolucionario?
- Países democráticos con rasgos dictatoriales (por ejemplo, Venezuela).
- Dictadores elegidos democráticamente (por ejemplo, Hitler).

REVOLUCIONES: MEXICANA Y CUBANA

1. Piensa qué tienen en común la Revolución Francesa, la Revolución Industrial, la Revolución Burguesa y la Revolución Rusa e intenta formular una definición de la palabra "revolución". ¿En qué otros contextos (que no tienen nada que ver con la historia) crees que se puede aplicar la palabra?

Revolución mexicana

Fue un proceso revolucionario que comenzó en 1910 como reacción contra el dictador **Porfirio Díaz**, un militar que había gobernado México durante más de 20 años. Uno de los protagonistas de la revolución fue Francisco Ignacio Madero, un latifundista del norte de México que logró tomar Ciudad Juárez y forzó a Porfirio Díaz a marcharse del país. Poco después, se convirtió en Presidente de México.

La revolución mexicana no fue una lucha unitaria, ya que pronto empezaron a aparecer rebeldes con sus propias reivindicaciones. Uno de ellos fue **Emiliano Zapata**, el líder de unos campesinos del estado de Morelos que se habían quedado sin tierras y que querían recuperarlas. Otro de los rebeldes que se opuso a Madero fue **Pancho Villa**, que logró controlar el estado de Chihuahua.

A pesar de que en 1917 se redactó una Constitución (vigente en la actualidad) bastante avanzada para la época y de que esta contenía leyes favorables a la gente con pocos recursos (como obreros, mineros o campesinos), algunos líderes como Emiliano Zapata o Pancho Villa continuaron su lucha. Finalmente, ambos fueron asesinados; el primero en 1919 y el segundo en 1923.

Hoy en día sigue habiendo movimientos sociales herederos de la revolución mexicana que dicen luchar por "un reparto justo y equitativo de las tierras". Líderes como César Chávez o el **Subcomandante Marcos** con el **Movimiento Zapatista**, reivindican los derechos de los campesinos y la posesión colectiva de la tierra en el estado de Chiapas.

Revolución cubana

Fue una lucha contra el régimen de **Fulgencio Batista**, el dictador que gobernaba Cuba desde 1934 con el apoyo de los Estados Unidos de América. Cuando Cuba se independizó de España en 1898 con la ayuda de los EE.UU., estos pasaron a controlar tanto su política interna como su economía.

> ### CONSTITUCIÓN MEXICANA
>
> En 1917, en México, durante la presidencia de Carranza, se redactó una Constitución que aún sigue vigente. Esta Constitución fue el gran logro de la revolución, ya que ponía por escrito las reivindicaciones de los obreros y campesinos, otorgaba poder al gobierno para redistribuir la tierra y daba nuevos derechos a los trabajadores. Sin embargo, no todos los presidentes que ha tenido México han puesto en práctica lo establecido en esa Constitución. Fue Lázaro Cárdenas, que gobernó desde 1934 hasta 1940, el que hizo el mayor reparto de tierras (millones de hectáreas) entre la población.

El líder de esa revolución fue **Fidel Castro**, un hombre de ideología socialista y licenciado en derecho, que desde estudiante se había interesado por la política y que se había caracterizado por una actitud rebelde (por ejemplo, llevó a cabo iniciativas para luchar contra el dictador dominicano Rafael Trujillo). Castro admiraba mucho a **José Martí**, un poeta y pensador que había luchado por la independencia de Cuba de España, y que se oponía al control y a la intervención de Estados Unidos en Cuba.

⊕ *César Chavez, el Che Guevara y Emiliano Zapata en un mural de San Francisco.*

REVOLUCIONES: MEXICANA Y CUBANA

En 1953 hubo un primer intento de rebelión: Castro y algunos compañeros intentaron atacar el Cuartel de Moncada, pero muchos murieron o fueron detenidos. Fidel Castro fue condenado a prisión y poco después se exilió a México, donde conoció a **Ernesto Che Guevara**, con el que planeó un nuevo ataque para derrocar al gobierno de Batista. En 1956 iniciaron una lucha de guerrillas en Cuba y en 1959 lograron la victoria: los guerrilleros entraron en La Habana y Fidel Castro se autoproclamó Presidente de Cuba.

Con los años, la ideología de Castro fue cambiando y se radicalizó. Se alineó con el **bloque soviético** (de ideología **comunista**) y tomó decisiones como nacionalizar la economía o llevar a cabo medidas para repartir los bienes

ERNESTO CHE GUEVARA (1928-1967)

Se le conoce con el nombre de El Che, aunque su verdadero nombre era Ernesto Guevara Lynch. Nació en Argentina, pero siempre decía que se sentía ante todo latinoamericano. En México conoció a Fidel Castro, que le propuso participar en la revolución cubana. Tuvo varios cargos en el gobierno cubano, pero no dejó de preocuparle la situación de otros lugares del mundo y por eso intentó incitar otras revoluciones en países como Nicaragua, Perú, Venezuela o Congo promoviendo la lucha de guerrillas. Murió en Bolivia, país donde estaba intentando crear un foco revolucionario. Pueden leerse varios de los ensayos, cartas, diarios y discursos que escribió. Entre estos textos destaca una carta que le escribió a Fidel Castro en la que le dice: "Otras tierras del mundo reclaman el concurso de mis modestos esfuerzos. Yo puedo hacer lo que te está negado por tu responsabilidad al frente de Cuba y llegó la hora de separarnos".

⊕ *Imagen del Che Guevara en la moneda cubana.*

RECOMENDACIONES

🎥 Si te interesa la revolución cubana:

Puedes encontrar fácilmente muchos vídeos e información en internet. También puedes ver las películas *Cuba*, *Habana* o *Che El Argentino*.

🎥 Si te interesa la revolución mexicana puedes ver películas y documentales como *La soldadera*, *La negra Angustias*, *Las fuerzas vivas*, *La sombra del caudillo*, *Los últimos zapatistas*, *Viva Zapata* o *Gringo viejo*.

📖 Para saber más sobre El Che, puedes ver la película *Diarios de motocicleta*. También puedes leer *Che: Ernesto Guevara, una leyenda de nuestro siglo*, de Pierre Kalfon, una biografía del Che Guevara.

Otra revolución conocida fue la de Nicaragua, que recibe el nombre de Revolución Sandinista (1978 -1990). Algunas películas sobre ella: *Sandino* y *Bajo el fuego*.

⊕ *Cartel de propaganda política en La Habana.*

"de forma igualitaria". Una de las primeras medidas que tomó en 1959 fue expropiar las grandes posesiones de tierras y repartirlas entre las cooperativas y los pequeños propietarios. También prohibió a los extranjeros la posesión de tierras en Cuba.

Fidel Castro gobernó en Cuba hasta el año 2008 y estableció un régimen autoritario durante el cual se encarceló y se ejecutó a personas que estaban contra el régimen. En la actualidad, Cuba es una de los pocas dictaduras comunistas que quedan en el mundo. ▌▌▌

2. ¿Qué características de la definición de "revolución" que habéis hecho en el ejercicio 1 tienen las revoluciones mexicana y cubana?

3. Señala dos cosas que tengan en común las dos revoluciones y dos que sean distintas.

4. Clasifica estas palabras según la relación que tienen con la palabra "tierra" o con la palabra "prisión".

| redistribuir | condenado | expropiar | ejecutar | encarcelar | detenido | latifundista |

5. Completa este cuadro con palabras que encontréis en el texto.

Sustantivo	Verbo
	intervenir
ataque	
	rebelarse
gobierno	
	reivindicar
	liderar
control	

6. En parejas, tratad de averiguar con cuál de las dos revoluciones (cubana o mexicana) están relacionados estos personajes, datos, acontecimientos históricos o lugares. Después, escribid una frase para cada uno de ellos e insertadla en alguno de los párrafos del texto.

| Camilo Cien Fuegos | La historia me absolverá | Victoriano Huerta |

| Sierra Maestra | Rebelión de Acayucan | Álvaro Obregón |

7. Pensando en las injusticias sociales de hoy, ¿qué reivindicaciones te vienen a la mente? Con un compañero, piensa en una situación que suscite polémica y preséntadsela al resto de la clase.

8. Estas son frases relacionadas con la revolución. ¿Qué creéis que pueden significar? ¿Con cuál de ellas estáis más de acuerdo? Podéis trabajar en pequeños grupos y luego ponerlo en común con el resto de la clase. ¿Cuál es la frase que ha gustado más? ¿Por qué?

a. La revolución devora a sus propios hijos.

d. Patria libre o morir.

e. La tierra es de quien la trabaja.

c. El río crece cuando los arroyos se juntan.

f. Primero pago a un maestro que a un general.

b. La solidaridad es la ternura de los pueblos.

9. Otra revolución reciente en un país latinoamericano fue la revolución sandinista, en Nicaragua. Entre todos, vais a escribir en un blog un pequeño reportaje sobre esta revolución. Formad cinco grupos. Cada grupo buscará información diferente sobre la revolución y redactará un pequeño texto que publicará en el blog. Esta es la información que tendrá que buscar cada grupo:

| Causas de la revolución | Principales personajes | Principales sucesos o acontecimientos | Fotografías que ilustren la revolución |

ALIANZAS REGIONALES

Hace poco más de medio siglo comenzó a tomar fuerza la idea de que la cooperación entre países vecinos contribuiría a una mayor estabilidad política y económica. Así, empezaron a surgir **alianzas regionales** conformadas por diferentes estados con **intereses comunes** en una zona geográficamente delimitada. La finalidad de esta integración puede ser política, militar o de otra índole, aunque a partir de la segunda mitad del siglo XX estos grandes grupos regionales tienden cada vez más hacia una unión política y económica de los países miembros.

La Unión Europea: el proyecto más ambicioso

Después de la II Guerra Mundial, algunas ciudades de Europa quedaron prácticamente destruidas. El 9 de mayo de 1950 se hizo la primera propuesta oficial de integración europea: varios países europeos acordaron establecer una única autoridad común que controlara la producción de acero y carbón, la Comunidad Europea del Carbón y del Acero (CECA). En la misma época se crearon otras dos grandes organizaciones, la Comunidad Económica Europea (CEE, también llamada Mercado Común) y la Comunidad Europea de la Energía Atómica (Euratom). 23 años más tarde, las tres se fusionaron en una mediante un tratado de integración que entró en vigor el 1 de noviembre de 1993. Así nació la **Unión Europea (UE)**, fundada por **12 países**: Alemania, Bélgica, Dinamarca, España, Francia, Grecia, Irlanda, Italia, Luxemburgo, Países Bajos, Portugal y Reino

Unido. En los últimos años han ingresado 14 países más, y entre todos suman cerca de **500 millones de habitantes**. En la actualidad la UE es una organización supranacional de varios estados cuya meta es reforzar la cooperación entre sus miembros e incrementar la integración económica y política. Es la mayor potencia comercial del mundo y uno de los principales donantes de asistencia técnica y financiera a los países más desfavorecidos.

La UE permite la libre circulación de personas dentro del **Espacio Schengen**, conformado por todos los países de la UE excepto Irlanda y Reino Unido. Además, todos los ciudadanos de la Unión más Islandia, Liechtenstein y Noruega, tienen derecho a trabajar en cualquier estado miembro. El **euro** (€) es la moneda de curso legal en los 16 países de la UE que conforman la **Zona Euro**.

La integración de países en el nuevo continente: Mercosur y Aladi

En 1991, Argentina, Brasil, Paraguay y Uruguay (250 millones de habitantes) crearon una unión aduanera denominada **Mercosur** (Mercado Común del Sur). Es un área de libre comercio que tiene como objetivo la eliminación progresiva de las barreras arancelarias entre los estados miembros con el fin de constituir un mercado único. En la actualidad existe libertad aduanera y comercial entre los países que lo conforman. Además de los países miembros, cuenta con seis asociados: Bolivia, Chile, Colombia, Ecuador, Perú y Venezuela.

Otro importante bloque es la **ALADI**, creada por Argentina, Bolivia, Brasil, Chile, Colombia, Cuba, Ecuador, México, Paraguay, Perú, Uruguay y Venezuela en 1980. Aunque es más extensa y numerosa que el Mercosur (casi 500 millones de habitantes), la ALADI no tiene como meta crear una zona de libre comercio, sino un sistema de preferencias económicas. ||||

⊕ *Los diputados del Parlamento Europeo son elegidos cada cinco años por los ciudadanos de los estados miembros de la Unión Europea.*

RECOMENDACIONES

🔊 ¿Quieres comprobar tus conocimientos sobre diversos aspectos de la UE? Entra en: http://europa.eu/europago/

También puedes visitar la web de la Unión Europea y su actividad política en España, con información sobre organismos, publicaciones, servicios, etc. http://ec.europa.eu/spain/

1. ¿Qué información de la que aparece en el texto conocías?

2. Dibuja en tu cuaderno una tabla como esta y rellénala con la información que aparece en el texto sobre las tres organizaciones.

	UE	MERCOSUR	ALADI
Año de fundación			
Continente			
Países integrantes			
Cifras de población			
Objetivos			
Otras informaciones			

Az **3.** Relaciona los términos de las dos columnas:

a. Grupo de 16 países con la misma moneda

b. Área de libre circulación de personas

c. Bloque económico fundado en 1980

d. Grupo de países cuya población supera los 250 millones de habitantes

1. Espacio Schengen

2. Mercosur

3. Zona euro

4. ALADI

4. Busca en internet (Google, Wikipedia) a qué otras organizaciones pertenece España. ¿Coincide en alguna con tu país? ¿Qué tipo de organización es: política, militar, económica? ¿Qué beneficios y responsabilidades adquieren los estados miembro?

5. Investiga en la página oficial de Mercosur (www.mercosur.int) o en otros sitios web qué implica la condición de país asociado. ¿Tienen las mismas ventajas y obligaciones que los países miembros?

6. Haz una lista de las agrupaciones a las que pertenece tu país.

7. Busca en la clase compañeros cuyos países formen parte de los mismos grupos que el tuyo. Escoged un bloque y realizad una campaña informativa en formato de póster, tríptico o presentación digital sobre las ventajas que tiene pertenecer a ese bloque.

La sede del Mercosur se encuentra en Montevideo (Uruguay).

1. Vas a escuchar un fragmento de una canción relacionada con alguno de los acontecimientos históricos que has visto en esta unidad. Di qué tipo de canción te parece:

a) Canción de cantautor   **b)** Himno   **c)** Canción popular

2. Escucha de nuevo la canción y di con cuál de estos momentos históricos la relacionarías. ¿Por qué?

a) La independencia de Perú   **b)** La revolución mexicana   **c)** La dictadura de Pinochet

3. Vuelve a escuchar el fragmento y discute con un compañero qué te sugiere. Elige por lo menos dos de estos sustantivos y añade otro. Después, ponedlo en común con toda la clase. ¿Por qué os sugiere eso?:

reivindicación   protesta   orgullo   recuerdo   melancolía   ataque

defensa   dolor   homenaje   tristeza   alegría   rechazo

4. Ahora escucha de nuevo el fragmento y completa los espacios en blanco:

Somos _____ seámoslo siempre,
y antes niegue sus luces el sol,
que faltemos al voto solemne
que la _____ Eterno elevó.
Largo tiempo el peruano oprimido
la ominosa cadena arrastró;

condenado a una cruel servidumbre
largo tiempo en silencio gimió.
Mas apenas el grito sagrado
¡ _____ ! en sus costas se oyó,
la indolencia de esclavo sacude,
la humillada cerviz levantó.

5. Escucha las siguientes canciones en clase: *La Patria*, de Víctor Jara; el corrido *Descansa general*; *La memoria*, de León Gieco; y *Hasta siempre*, de Carlos Puebla. ¿Qué tipo de canciones son y con qué momentos históricos las relacionarías? ¿Qué te sugieren?

6. Trae a clase una canción que tenga alguna relación con la historia de tu país y preséntasela a tus compañeros.

1. Observa los primeros minutos del vídeo sin sonido y responde:

• ¿Sobre qué tema de la unidad piensas que trata?

• ¿En qué continente crees que transcurre la escena? ¿Aproximadamente en qué año?

• ¿De qué países crees que son las personas que aparecen? ¿A qué instituciones representan (gobierno, iglesia, ejército)?

2. Ahora verás el fragmento completo y con sonido. Responde a las siguientes preguntas:

• ¿Qué países reclaman el territorio de los aborígenes? *España & Portugal*
• ¿A qué país pertenecen los territorios donde se celebra la reunión? *las cataratas de Iguazú*
• ¿Cuál es el nombre de los aborígenes? *Guaranís*
• ¿Qué tipo de actividad denuncian los dos sacerdotes que hablan?

Españoles dice que son animales bic los matan sus bebes renuncian la esclavitud

3. ¿Sabes a qué película pertenece el fragmento que acabas de ver? ¿Qué crees que les ocurre a los aborígenes? ¿Y a los sacerdotes? ¿Hay acontecimientos similares en la historia de tu país?

GEOGRAFÍA Y PAISAJES

2

- Paisajes de España
- Paisajes de Norteamérica, Centroamérica y el Caribe
- Paisajes del sur

"La geografía es la historia en el espacio, y la historia es la geografía en el tiempo". *Élisée Reclus (1830 - 1905)*

"¿Cómo es una montaña? Es una imagen lejana que se reposa en el alma. Una substancia. Esa imagen sosegada se guarda y permanece en nosotros. (…) Para entender el paisaje hay que introducirse, lo que en las sierras significa subir, madrugar, andar reposado, detenerse entre las cosas para disipar la fatiga, adaptarse, otear y reconsiderar el paisaje en el que, extraños, entramos sin invadir. Esto exige esfuerzo y respeto; es el mínimo que hay que entregar para adentrarse. (…) Porque solo se puede explicar hondamente un paisaje como algo que forma parte de uno mismo". *Azorín (1873 - 1967)*

PAISAJES DE ESPAÑA

1. De las siguientes definiciones de paisaje, ¿cuál se acerca más a tu idea?

- El paisaje es el aspecto visible y directamente perceptible de la superficie terrestre.
- Es la parte de un territorio que puede ser observada desde un determinado lugar.
- Es una pintura o dibujo que representa un espacio natural.
- Es el resultado de la interacción del clima, las aguas, el relieve, la vegetación, la fauna, el suelo y las personas.

Discutidlo en clase y formulad una nueva definición que recoja todas las opiniones; luego leed el texto.

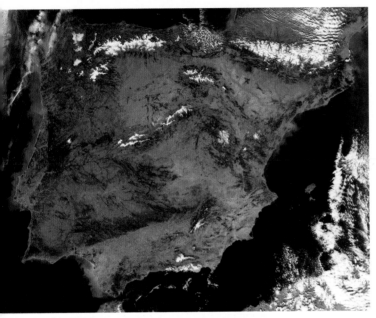

🔾 *Imagen satélite de la Península Ibérica.*

España se sitúa en la **Península Ibérica** (que comparte con Portugal), ubicada en el suroeste de Europa. También comprende las islas **Canarias**, ubicadas en el océano Atlántico, frente a la costa de Marruecos; las **Baleares**, situadas al este de la península Ibérica; y las ciudades de **Ceuta** y **Melilla**, que se encuentran en el norte de África, frente a las costas españolas.

Cerca del 90% del perímetro de España está rodeado por agua (casi 2.400 km.). Los **Pirineos**, cadena de montañas que se extienden desde el océano Atlántico hasta el mar **Mediterráneo**, conforman la frontera natural con Francia. La gran **Meseta Central** ocupa buena parte del territorio y articula varios sistemas montañosos. Así pues, mar y montaña son los elementos clave del paisaje natural de España.

BARCELONA

Está situada en el noreste de España, en la costa mediterránea. Es la capital de la comunidad autónoma de Cataluña y la segunda ciudad más poblada del país (1.600.000 habitantes aproximadamente). Ha sido escenario de diversos eventos mundiales, entre los que destacan los Juegos Olímpicos de 1992, que han contribuido a configurar el actual aspecto de la ciudad y darle mayor proyección internacional. Su paisaje urbano se caracteriza por el casco antiguo medieval, con calles estrechas y originalmente delimitado por murallas, y el Ensanche, que es la parte nueva que se extiende alrededor de la ciudad vieja, construida entre finales del siglo XIX y principios del XX con un trazado regular de manzanas cuadradas. Las calles de Barcelona encierran un paisaje arquitectónico muy rico y variado. Los edificios medievales contrastan con obras contemporáneas de autor, como la torre Agbar, de Jean Nouvel, o el Museo de Arte Contemporáneo de Barcelona, de Richard Meier. Pero uno de los estilos arquitectónicos más representativos de la ciudad es el Modernismo, con obras como el Parque Güell, la Casa Milà (La Pedrera) y la Casa Batlló, de Antoni Gaudí, o el Palau de la Música Catalana, de Lluís Domènech i Montaner, todas ellas declaradas patrimonio de la humanidad por la UNESCO.

🔾 *La azotea de la Casa Milà (Barcelona), uno de los edificios de Antoni Gaudí en esa ciudad.*

La playa de La Concha con el monte Urgull al fondo.

SAN SEBASTIÁN

La ciudad de San Sebastián (Donostia en euskera) está situada en el norte de España, en la costa del Golfo de Vizcaya, sobre el Océano Atlántico. Pertenece a la Comunidad Autónoma del País Vasco. Tiene cerca de 185.000 habitantes. Enmarcada por la Bahía de la Concha, la playa del mismo nombre se extiende a los pies de la ciudad, resguardada por la isla de Santa Clara. El paisaje urbano se caracteriza por un desarrollo arquitectónico moderno iniciado en la segunda mitad del siglo XIX, que configuró una ciudad de corte francés y aburguesado. La belleza de su entorno natural y urbano, y la celebración de eventos internacionales, como el Festival Internacional de Cine o el Festival de Jazz de San Sebastián, propiciaron el desarrollo del turismo a escala nacional y europea.

Paisajes de mar, Mediterráneo y Atlántico

España cuenta con una extensa línea de costa, pero no toda la geografía litoral tiene las mismas características.

En la **costa mediterránea** el clima es seco y caluroso en verano, lo que la convierte en un área de veraneo. Los inviernos son suaves y con pocas lluvias. La temperatura media anual es de entre 15 °C y 18 °C. Los ríos son cortos y con caudal irregular, excepto el Ebro, que tiene un caudal más regular.

El paisaje natural está formado por el **bosque** y el **matorral** mediterráneos, con una vegetación capaz de soportar la sequía del verano: encinas, alcornoques y pinos en el bosque, y arbustos y plantas aromáticas como el romero, la lavanda y el tomillo en el matorral. En la zona de Almería y Murcia, de aridez extrema, se dan también la palmera y el palmito.

En las áreas interiores abundan los cultivos de huerta, frutales, olivos y cereales (en su mayoría de regadío). Entre las ciudades más importantes están Barcelona, Valencia, Alicante y Málaga.

En cambio, en la **costa atlántica** el clima es oceánico, con temperaturas suaves, fresco en verano (entre 20 y 25 °C) y no muy frío en invierno (entre 12 y 15 °C). Las lluvias son abundantes y frecuentes todo el año. Los ríos, por lo tanto, son caudalosos y regulares. De su geografía destacan la **Cordillera Cantábrica**, que corre casi paralela a la costa, los **bosques de hoja caduca** (robles, hayas, castaños, olmos, avellanos) y los **prados**. La presencia humana ha modificado el paisaje cultivando pastos para ganado vacuno en pequeñas propiedades, llamadas minifundios, con poca maquinaria agrícola y baja productividad. Entre las ciudades más importantes se encuentran San Sebastián, Bilbao, Santander, Gijón, A Coruña y Vigo.

Paisajes de meseta y de montaña, paisajes de contrastes

El relieve montañoso es una constante en la geografía española. A pesar de contar con tantos kilómetros de costa, la altitud media del territorio es bastante elevada (650 metros), en parte debido a la gran **Meseta Central**, que ocupa la mayor parte del centro de la Península Ibérica. Los ríos de estos paisajes son largos y caudalosos (Ebro, Duero, Tajo), aunque irregulares, ya que su caudal disminuye bastante en verano. Los paisajes naturales predominantes son los **páramos**, tierras llanas y elevadas donde destacan los matorrales y los bosques mediterráneos (encinas, alcornoques y pinos), y las **campiñas**, más ricas, ubicadas al lado de los ríos y más favorables para la agricultura. Los cultivos son principalmente de cereales de secano (sin necesidad de riego artificial) en grandes propiedades, llamadas **latifundios**. Algunas de las principales ciudades son Madrid, Valladolid, Salamanca, León, Burgos, Granada y Jaén; todas emplazadas entre 500 y 850 m sobre el nivel del mar. ▐▐▐

La ciudad de Toledo (Castilla-La Mancha) está situada a orillas del Tajo.

MADRID

Es la capital de España y de la Comunidad de Madrid. Cuenta con aproximadamente 3.200.000 habitantes (casi 6.000.000 si contamos el área metropolitana). Está situada en la Meseta Central, a orillas del río Manzanares, y coincide con el centro geográfico de la Península Ibérica. Es la sede del Gobierno y concentra las principales actividades administrativas e institucionales, financieras, comerciales y de servicios, que son las actividades económicas más importantes de la ciudad. Su función residencial es evidente, y el paisaje urbano ha sufrido numerosas transformaciones. El actual casco antiguo corresponde al antiguo recinto amurallado del siglo XVII. En el siglo XVIII experimentó notables mejoras en el saneamiento y embellecimiento; de esa época son algunos paseos como el de Recoletos, El Prado, Delicias y los jardines del Buen Retiro. En el siglo XIX se derribó la muralla y se planificó un importante ensanche. A principios del siglo XX surgieron los primeros barrios relativamente alejados del centro. Durante la década de 1930 se potenció el Paseo de la Castellana al situar allí los nuevos ministerios. El gran crecimiento de la ciudad se ha producido en los últimos 30 años, dando lugar a una extensa área metropolitana. Madrid es también un gran centro cultural, y sus museos constituyen uno de los principales atractivos de la ciudad. Los más destacados son el Museo del Prado, considerado como una de las tres grandes pinacotecas del mundo, el Museo Thyssen-Bornemisza y el Museo Nacional Centro de Arte Reina Sofía.

⊕ *La Plaza Mayor de Madrid fue construida a principios del s. XVII.*

RUTA DE DON QUIJOTE

"En un lugar de la Mancha, de cuyo nombre no quiero acordarme, no ha mucho tiempo que vivía un hidalgo de los de lanza en astillero, adarga antigua, rocín flaco y galgo corredor". Así empieza *Don Quijote*. Sea cual sea la ruta que Cervantes imaginó para su personaje, lo cierto es que la gran mayoría de las aventuras parece transcurrir en lo que hoy es el territorio de Castilla-La Mancha. Existe un recorrido ecoturístico oficial de 2.500 km de longitud, constituido por una red de caminos históricos y vías ganaderas perfectamente señalizadas, aunque su recorrido no sigue criterios estrictamente ligados a la obra literaria. En el primer tramo de la ruta se pueden encontrar los famosos molinos de viento que Don Quijote confundía con gigantes, las plazas mayores, los castillos y la arquitectura popular. El recorrido comienza en la ciudad de **Toledo**, capital de Castilla-La Mancha. Después de pasar **Nambroca** y el castillo de Almonacid de Toledo hay que pasar por **Mascaraque**. Pronto aparece la silueta de las ruinas del castillo de Peñas Negras en **Mora**. Sigue el camino hasta **Tembleque**, donde se puede pasear por la Plaza Mayor, con portales sostenidos por columnas de granito y corredores de madera al estilo del siglo XVII. En **Villa-cañas** se pueden visitar los silos, viviendas subterráneas todavía en uso. También se pueden atravesar las lagunas de **Alcázar de San Juan** de camino a **Campo de Criptana.** En los parajes de los alrededores de **Mota del Cuervo** se encuentran los famosos molinos de viento. Con un pequeño giro hacia el norte se llega a **El Toboso**, de donde era Dulcinea y de quien Don Quijote estaba enamorado. Allí se pueden ver en el Museo Cervantino las numerosas ediciones de *El Quijote*. Girando nuevamente hacia el este se llega a **Belmonte**, una localidad que conserva edificios civiles y religiosos de la época, además de un recinto defensivo compuesto por su castillo, las murallas y las puertas. Este primer tramo de la ruta, de aproximadamente 180 km, termina en **San Clemente**, lugar famoso por su Plaza Mayor y declarado Conjunto Histórico por la monumentalidad de sus iglesias, palacios y casonas de más de cuatro siglos.

RECOMENDACIONES

📶 www.castillalamancha.es : En el menú **viajeros > rutas** encontrarás algunos recorridos por esta comunidad autónoma, además de la Ruta del Quijote. En http://cvc.cervantes.es busca "actos culturales paisajes de España" para descubrir los paisajes de España por Comunidades Autónomas.

⌘ Otros lugares y rutas de interés en España son el Camino de Santiago, la Vía de la Plata, el Parque Nacional de Doñana (Andalucía), el Parque Nacional del Teide (Canarias) o el Parque Nacional de los Picos de Europa (Asturias, Cantabria y León).

2. Recupera la definición de **paisaje** que habéis hecho en la actividad 1 y di qué aspectos de los que habéis incluido en ella aparecen en el texto que has leído. Reformúlala si es necesario.

3. Busca en el diccionario las siguientes palabras y pon un ejemplo de España y otro de tu país:

PALABRA	DEFINICIÓN	EN ESPAÑA	EN MI PAÍS
meseta			
península			
llanura			
matorral			
huerta			
bahía			
páramo			
campiña			
caudal			
...			

4. En grupos, escoged una de las ciudades que aparecen en el texto y buscad información, fotos y mapas en internet (Google, Wikipedia, webs de los ayuntamientos) para preparar una visita turística por la ciudad. Debe constar: clima, alojamiento, lugares de interés y recomendaciones. Luego la presentaréis al resto de la clase, que se apuntará a la que más le interese.

5. Escoge cinco palabras de la actividad 3 e ilústralas con fotos de tu país. Tus compañeros tendrán que acertar la palabra que describe la foto.

6. Piensa en alguna ruta interesante de tu país que puedas describir a tus compañeros.

Debe constar:
- el tipo de ruta (histórica, literaria, arquitectónica, artística, gastronómica)
- los lugares de interés
- la duración aproximada del recorrido
- otros datos que consideres importantes

7. A. Escribe un breve artículo sobre tu ciudad como los que has leído sobre las ciudades del mundo hispano.

B. Lee el artículo de tu ciudad para tus compañeros. Votad las exposiciones de vuestros compañeros y escoged las tres ciudades que os resulten más atractivas.

Describe las características más importantes del paisaje urbano, su arquitectura, sus edificios emblemáticos y las actividades que se pueden hacer en la ciudad.

PAISAJES DE NORTEAMÉRICA, CENTROAMÉRICA Y EL CARIBE

1. ¿Con qué palabras de la columna B relacionas los países de la columna A? Puedes agregar más palabras que no aparezcan. Comprueba tus respuestas con la lectura de este capítulo.

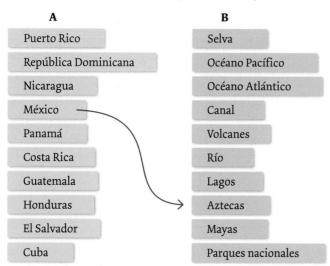

A	B
Puerto Rico	Selva
República Dominicana	Océano Pacífico
Nicaragua	Océano Atlántico
México	Canal
Panamá	Volcanes
Costa Rica	Río
Guatemala	Lagos
Honduras	Aztecas
El Salvador	Mayas
Cuba	Parques nacionales

Los países de habla hispana que encontramos en América del Norte, América Central y el Caribe van desde **México** hasta **Panamá** en la parte continental (excepto Belice), más las islas de las **Antillas** españolas, en el mar Caribe. Incluyen además los estados de **Cuba**, **República Dominicana** y **Puerto Rico**.

Paisajes del norte y del centro de América, volcanes y selvas entre dos océanos

La región que va desde México hasta Panamá está bañada por el **Océano Pacífico** al oeste y el **Atlántico** al este. Tiene un relieve mayoritariamente montañoso hacia el oeste que desciende gradualmente hacia el mar **Caribe**. Las cordilleras están conectadas con las de los Estados Unidos y Canadá, y con las de América del Sur. Es, además, una de las zonas del continente americano con mayor número de volcanes activos. En el norte de México encontramos la altiplanicie mexicana.

El lago Gatún, en el canal de Panamá. ⬇

A diferencia de los ríos que desembocan en el océano Atlántico, los que van a parar al Pacífico son más numerosos, pequeños pero caudalosos, y difíciles de navegar. La región tiene algunos grandes lagos, como el de Chapala en México, el lago de Nicaragua y el de Managua en Nicaragua, y el Gatún en Panamá, que forma parte del **Canal de Panamá**, la gran vía comercial entre el Atlántico y el Pacífico.

Existen dos zonas climáticas: una cálida, que coincide con América Central, y otra templada, en México. En la zona cálida la temperatura varía con la altitud: desde los 24 °C a nivel del mar hasta los 13 °C por encima de los 1800 m. La otra zona climática es la templada, que se encuentra al norte del trópico de Cáncer. Su temperatura media anual va de los 10°C a los 20 °C en altitudes entre 1.500 m y 3000 m. En ambas zonas la costa atlántica recibe el doble de lluvias anuales que la costa del Pacífico.

La vegetación en las tierras bajas centroamericanas es la de la **selva tropical**, donde abundan palmeras, helechos arborescentes, lianas y plantas aéreas que reflejan el alto grado de humedad y de lluvias. En las zonas montañosas son característicos los bosques de robles y pinos. En el norte de México predomina el **desierto,** donde son comunes los grandes cactus como la cholla, las plantas de hojas carnosas como el ágave, y los pastizales y arbustos como el chamizo.

⊕ *El cabo San Lucas, en la península de la Baja California, es un importante destino turístico de México.*

CIUDAD DE MÉXICO

Es la capital del país y está formada por el Distrito Federal (DF) y los municipios limítrofes (Chalco, Coacalco, Izcalli, Tepotzotlán, Texcoco, Tultepec o Tultitlán, entre otros). Es el principal centro industrial, comercial, de comunicaciones y transportes, demográfico, administrativo, político, económico y cultural, y la ciudad más habitada del país (aproximadamente 8.720.000 habitantes). Está situada en la región de Centro, a unos 2.200 metros sobre el nivel del mar. Fue fundada en 1325 con el nombre de Tenochtitlán por los aztecas, y desde esa fecha ha sido la capital, primero del Imperio Mexica y después de la conquista española, capital del Virreinato de la Nueva España (desde entonces con su nombre actual), posteriormente del Imperio Mexicano y finalmente de los Estados Unidos Mexicanos. La ciudad de Tenochtitlán fue arrasada por los españoles y sobre sus ruinas se construyó la ciudad colonial. En su crecimiento urbano y demográfico fue incorporando numerosos poblados que se encontraban en las cercanías. Desde mediados del siglo XX su área metropolitana ha desbordado los límites del Distrito Federal y se ha extendido sobre otros municipios vecinos, conformando la actual Zona Metropolitana de la Ciudad de México (ZMCM), cuya población asciende a casi 19.000.000 de habitantes. Entre los lugares de interés arquitectónico, arqueológico y cultural sobresale el Centro Histórico, declarado Patrimonio de La Humanidad por la UNESCO, la Plaza de la Constitución, conocida como el Zócalo, que es la segunda más grande del mundo y donde se levantan la Catedral Metropolitana, el Sagrario Metropolitano, el Palacio Nacional y el Ayuntamiento. Destacan también la Zona Arqueológica y el Museo del Templo Mayor, así como la Torre Latinoamericana, el edificio más alto del casco histórico. Al sur de la ciudad se encuentra el barrio colonial de Coyoacán, donde está la casa-museo de Frida Kahlo, el campus de la Universidad Nacional Autónoma de México (UNAM) y la zona de canales y chinampas (parcelas flotantes) en Xochimilco, ambos declarados Patrimonio de la Humanidad.

Aztecas, mayas y españoles

El paisaje cultural de la región está definido por la herencia **azteca**, **maya** y de otras culturas indígenas, a las que posteriormente se añade la **herencia colonial hispánica**. Las costas del océano Pacífico son más aptas para los asentamientos humanos, pero menos favorables para los cultivos tropicales ya que tienen menos lluvias que el litoral atlántico.

Entre las ciudades más importantes se encuentran Ciudad de México, Monterrey, Puebla o Guadalajara en México, y las capitales de los países de América Central: Guatemala (Guatemala), San Salvador (El Salvador), Tegucigalpa (Honduras), Managua (Nicaragua), San José (Costa Rica) y Panamá (Panamá).

Paisajes caribeños, mar, montañas e islas

Las islas hispanas del Caribe son un conjunto mucho más homogéneo en cuanto a clima, vegetación y relieve que la región continental. Tienen relieve montañoso ya que son una continuación en el mar de las cadenas de montañas de América Central (Península de Yucatán, México) y del Sur (Cordillera de la Costa, Venezuela). Se hallan en la zona tropical, por lo que el clima es bastante similar en todas las islas, con una temperatura media anual en torno a los 20 ºC; más templado en las áreas montañosas. Las dos estaciones del año no se diferencian por la temperatura, sino por las lluvias. Una es la **estación seca**, de noviembre a mayo, y la otra es la **húmeda**, de junio a octubre, época en la que en el Atlántico se originan huracanes que provocan grandes destrozos al acercarse a la costa.

⊕ *El río Caroní forma diversas cascadas en el parque de La Llovizna (Venezuela).*

LA HABANA

La ciudad de La Habana es la capital de Cuba. Se halla en la costa norte de la isla y es la ciudad más grande y poblada de las Antillas (2.200.000 habitantes aproximadamente). Es la sede del gobierno y también de organismos, empresas y corporaciones nacionales y extranjeras. Las industrias más destacadas son la de la elaboración de tabaco (cigarros habanos) y la del refinamiento de azúcar. Pero el sector económico que más riqueza genera es el turismo. Sus playas, museos y la propia ciudad atraen visitantes de todo el mundo. Es una de las ciudades más antiguas del continente americano. En la Ciudad Vieja se conservan calles estrechas y casas antiguas con arcadas, balcones, puertas de hierro y patios interiores. Más allá de la parte antigua, La Habana es una ciudad de aspecto moderno, con impresionantes edificios públicos y religiosos, jardines, plazas y amplias avenidas arboladas, como el Paseo de Martí (más conocido como El Prado), la Avenida del Puerto, el Malecón, la Alameda de Paula y la Avenida de las Misiones. Entre los edificios que presentan un interés especial se encuentran el Capitolio de la Nación, la Capitanía (que alberga las dependencias administrativas del capitán del puerto), el Palacio Presidencial y la Universidad de La Habana. Los monumentos de mayor valor histórico son el Castillo de la Real Fuerza (1565-1583), que fue cuartel general del gobernador español cuando la ciudad era una colonia de España; la Oficina de Correos (1575), antigua iglesia de San Francisco; el Convento de Santa Clara (1638), un buen ejemplo del barroco español; la Catedral de la Inmaculada Concepción (1656); la Catedral de La Habana (1748 -1777), que domina la Plaza de la Catedral (1749), el mejor ejemplo del barroco cubano; y el Ayuntamiento, un antiguo palacio que fue residencia de los gobernadores coloniales y cuyas obras finalizaron en 1792, considerado como una de las mejores muestras de la arquitectura de estilo colonial español. En 1982, la UNESCO declaró Patrimonio Cultural de la Humanidad la Ciudad Vieja de La Habana.

⊕ *La Habana Vieja o Ciudad Vieja de La Habana.*

Reserva natural de biodiversidad

La región hispana de América Central, de América del Norte y el Caribe acoge el 7% de las especies conocidas de flora y fauna. A pesar de representar únicamente el 1% de la superficie terrestre, alberga el 8% de las **reservas naturales** del planeta. Cuenta con cerca de 150 áreas protegidas y más de 120 parques naturales. Es una de las zonas con mayor **biodiversidad** del mundo; solo Costa Rica alberga cerca de un 5% de la biodiversidad mundial. |||

EL PARQUE INTERNACIONAL LA AMISTAD

El Parque Internacional La Amistad, también llamado **PILA**, se creó al unir la Reserva de la Cordillera de Talamanca (Costa Rica) y el Parque Nacional La Amistad (Panamá). Es la primera **Reserva de la Biósfera** binacional del mundo. En 1983, la UNESCO la declaró **Patrimonio de la Humanidad**. La reserva tiene una superficie aproximada de 400.000 hectareas, pero no todo el parque está explorado ya que es sumamente inaccesible, sobre todo desde Costa Rica. Por su ubicación geográfica es una zona de transición entre la América del Sur y la del Norte, y desde el punto de vista de la biodiversidad constituye un puente biológico entre ambas regiones. Cuenta con una gran variedad de medios naturales según las diferencias en altura, suelo, clima y relieve. Predominan los bosques mixtos o bosques húmedos de altura y el bosque siempreverde, muy húmedo. Crecen helechos de cerca de dos metros de altura, más de 130 especies de orquídeas y numerosas plantas aéreas. Además, cuenta con una extraordinaria variedad de vida silvestre. Los animales más comunes son jaguares, pumas, mofetas (zorrillos), osos hormigueros, salamandras, tucanes, colibríes y águilas.

RECOMENDACIONES

En www.conozcacostarica.com encontrarás información geográfica, rutas, imágenes y datos sobre la regulación de otros parques nacionales de Costa Rica.
www.visitapanama.com : Información sobre los parques nacionales de Panamá.
www.conanp.gob.mx : Página web de la Comisión Nacional de Áreas Naturales Protegidas de México.
Para saber cuáles son las reservas de la biosfera reconocidas por la UNESCO entra en http://portal.unesco.org/es y en el apartado Ciencias Naturales busca "reservas de la biosfera".

Amor América (1993), de Maruja Torres, un viaje sentimental en tren por América Latina.

2. Vuelve a leer las asociaciones de la actividad 1. ¿Qué nueva información te ha aportado el texto? Amplía la columna B y escribe nuevas asociaciones.

Az **3. A.** A partir de la información del texto y de tus propios conocimientos, explica los siguientes términos:

biodiversidad   reserva natural   parque nacional   medio natural

B. Comprueba tu definición con el diccionario y después pon ejemplos de cada una con lugares de tu país.

4. Escoge dos de los parques nacionales de los que se habla en el texto y haz una ficha técnica sobre ellos.

Tipo de área protegida	
Año de creación	
Superficie	
Datos geográficos y medioambientales	
Lugares de interés	
...	

5. ¿Sabías que Costa Rica ha canjeado parte de su deuda con otros países a cambio de preservar la naturaleza? Busca información en internet y haz un póster que explique en qué consiste este canje de deuda por naturaleza. Incluye datos sobre la cantidad de deuda canjeada, inversión en conservación de la naturaleza, compromisos de ambos países, etc.

6. Escoge algún paisaje de tu país. Con mapas y fotos prepara una presentación y redacta un guión para organizar las imágenes, presentarlas y describirlas en clase. Entre todos, escoged la mejor presentación.

7. En grupos, diseñad un folleto para promocionar un parque natural de algún país que aparezca en el texto. Luego presentadlo en clase. Buscad información sobre:

su ubicación   su accesibilidad

la extensión   un mapa de la zona

los hábitats que protege   imágenes del parque

PAISAJES DEL SUR

1. ¿Qué paisajes y ciudades conoces de América del Sur? Haz una lista de siete lugares y luego compárala con la de un compañero para ampliarla.

Los países de habla hispana de América del Sur son **Argentina**, **Bolivia**, **Chile**, **Colombia**, **Ecuador**, **Paraguay**, **Perú**, **Uruguay** y **Venezuela**. Ocupan poco más de la mitad de la superficie del subcontinente, incluida la **Isla de Pascua** (Chile) y las **Galápagos** (Ecuador). En sus territorios encontramos tres grandes ambientes: la cordillera, las llanuras interiores y los macizos continentales.

La belleza de sus paisajes naturales, las ruinas incaicas en Bolivia y Perú, o la posibilidad de acceder fácilmente a los glaciares en el sur de Argentina y Chile constituyen algunos de sus grandes atractivos turísticos. También la práctica de deportes como el andinismo (alpinismo), senderismo, rafting o el esquí, muy desarrollado en Argentina y Chile. Algunas ciudades de montaña importantes son Mérida (Venezuela), Bogotá, Cali, Medellín (Colombia), Quito (Ecuador), Cuzco (Perú), Potosí, La Paz (Bolivia) o San Carlos de Bariloche (Argentina).

LOS ANDES, NIDO DE CÓNDORES

La cordillera de los Andes es la más larga del mundo y la más alta después del Himalaya. Fue la última en formarse y corre paralela a la costa del Pacífico a lo largo de casi 8.000 km. Las cumbres están cubiertas por nieve a partir de los 1.200 m en el extremo sur. La cordillera divide las aguas de Sudamérica en dos vertientes: los ríos que desembocan en el Océano Pacífico son cortos y de poco caudal; por el contrario, los que desaguan en el Atlántico son más largos y suministran agua en abundancia producto de las lluvias y del deshielo. La cordillera también alberga numerosos volcanes, entre los que destaca el Aconcagua (6.960 m) en Argentina, la montaña más alta de América. El animal emblemático de los Andes es el cóndor, un ave de más de un metro de altura que vive por encima de los 3.000 m de altitud. Este paisaje contrasta con el de los altiplanos, áridos y con grandes lagos como el Titicaca, compartido por Bolivia y Perú. También contrasta con el de los bosques patagónicos, ubicados en el extremo sur de los Andes, más bajos y con clima frío y húmedo.

La cordillera de los Andes. ⊙

BOGOTÁ

Santafé de Bogotá es la capital de Colombia y la ciudad más poblada del país (casi 7.000.000 de habitantes). Está situada en el centro de Colombia, a unos 2.600 m de altitud, en un altiplano de la cordillera oriental de

⊕ *La ciudad de Bogotá desde el barrio de La Candelaria.*

los Andes. El clima es templado, con una temperatura media anual de 14 °C. Es el principal centro político, comercial, industrial y cultural del país. El trazado urbano conserva el plano en damero (cuadrícula de manzanas) implantado por España a mediados del siglo XVI. Esta configuración colonial es visible actualmente en parte de La Candelaria, el centro histórico de Bogotá. De la antigua ciudad colonial, con casas bajas con un patio central, queda muy poco debido a varios incendios y terremotos que destruyeron gran parte de la antigua Santafé. Algunas industrias destacadas en la ciudad son las imprentas y las editoriales. Uno de los eventos más importantes dentro de la amplia oferta cultural de la ciudad es el Festival Iberoamericano de Teatro, que se celebra cada dos años y que está catalogado como uno de los más prestigiosos de América Latina.

Las llanuras, ricas y extensas

Son tierras fértiles de paisaje llano atravesado por ríos con caudal abundante y regular. Se distinguen dos grandes unidades: los **llanos del Orinoco** y las extensas **llanuras del Gran Chaco** y **la Pampa**.

En los llanos del Orinoco, que ocupan parte del territorio de Colombia y Venezuela, domina el clima tropical lluvioso, con una estación seca de diciembre a mayo. La vegetación es la de la **sabana tropical**: pradera de arbustos con árboles dispersos. En su economía, además de la ganadería extensiva y la agricultura, también es importante la actividad petrolera. Las principales ciudades son Barcelona, Barinas (Venezuela), Villavicencio y Yopal (Colombia).

La gran llanura chacopampeana ocupa parte de Argentina, Bolivia, Paraguay y Uruguay. El **Gran Chaco**, que se encuentra más al norte, tiene clima subtropical seco. En cambio, en la llanura pampeana el clima es templado, más húmedo hacia la costa atlántica. La vegetación es de arbustos espinosos y bosques de quebracho en la llanura chaqueña; la Pampa se caracteriza por la ausencia de árboles y el predominio de pastos. Sus suelos son muy fértiles para la agricultura y abundan los **cultivos tropicales** como el algodón en el Chaco y los cereales en la Pampa. Esta también tiene buenos pastos naturales que alimentan al **ganado vacuno**, motor de la economía argentina junto con el **cultivo de cereales**. Las ciudades más importantes de la región son Buenos Aires, Rosario, Resistencia, Formosa (Argentina), Montevideo (Uruguay) y Asunción (Paraguay).

BUENOS AIRES

Es la capital de Argentina y concentra la mayor población del país (cerca de 3.000.000 de habitantes). La Ciudad de Buenos Aires y las 24 unidades administrativas (conocidas como "partidos") que la rodean conforman el Gran Buenos Aires, que supera los 12.000.000 de habitantes. La ciudad está ubicada en la llanura pampeana, en la orilla oeste del Río de la Plata, el más ancho del mundo (aproximadamente 220 km.) Su clima es templado y húmedo por la influencia oceánica y tiene una temperatura media anual de 18 °C. Es el centro político, comercial y de servicios, y la sede central de casi todas las grandes empresas del país. Tiene una importante actividad portuaria y alberga el principal puerto de Argentina. Cuenta con una gran cantidad de universidades, bibliotecas, museos, galerías de arte y teatros, entre ellos el Colón, uno de los teatros de ópera más importantes del mundo. Es también uno de los núcleos educativos, intelectuales y artísticos más importantes de América Latina. Su trazado urbano es muy regular y respeta el plano en damero de la época colonial. Los medios de transporte públicos más usados para acceder al centro de la ciudad son el autobús y el tren, y para desplazarse dentro de ella se utiliza más el "subte" (metro), que es el más antiguo del mundo hispano, incluso más que el de Madrid.

⊕ *El barrio de La Boca, en Buenos Aires.*

CIUDAD GUAYANA

Se fundó en 1961 englobando a los habitantes de cinco pequeños núcleos urbanos, y se organizó como una nueva ciudad planificada. Se encuentra entre las cinco ciudades más pobladas del país, con casi 1.000.000 de habitantes. Está situada en la confluencia de los ríos Caroní y Orinoco y es una de las pocas ciudades del macizo guayanés. Su clima es tropical, con una temperatura media anual de 28 °C. Dentro de la ciudad se encuentran dos saltos naturales de agua: el de Cachamay, con una anchura de unos 800 m, aunque de poca altura, y el de La Llovizna, con varios saltos de mayor altura y de gran caudal. Otro atractivo de la ciudad es que desde el puente Angosturita y desde el puerto de San Félix se puede observar la unión de los ríos Orinoco y Caroní, con aguas de diferente color que no se mezclan. Tiene un importante puerto fluvial para la exportación de hierro, aluminio y acero, que llegan a la ciudad en el ferrocarril minero directamente desde los yacimientos. Cuenta con industrias asociadas al procesamiento de hierro y aluminio y es una gran productora de energía hidroeléctrica. Es una ciudad moderna y cuenta con numerosas universidades.

⊕ *El río Orinoco en su paso por la región de la Guayana venezolana.*

Los macizos, la parte más vieja del planeta

Los macizos, también llamados **escudos continentales**, son extensiones de terreno formadas por rocas muy duras con una gran estabilidad frente a los terremotos. En el sector de habla hispana de América del Sur destacan el **macizo de la Guayana** y el **macizo patagónico** (el tercer macizo de Sudamérica es el brasileño).

RUTA DE LOS SIETE LAGOS

En un tramo de aproximadamente 100 km de la ruta nacional 234 en la provincia de Neuquén (Argentina) se puede apreciar el paisaje típico de los Andes patagónicos: extensos bosques, montañas nevadas y grandes lagos de origen glacial. La ruta comienza en San Martín de los Andes, el kilómetro cero del recorrido, y termina en Villa la Angostura. El trayecto, que atraviesa los parques nacionales Lanín y Nahuel Huapi, se puede hacer en medio día sin tener que desviarse en ningún momento de la carretera.

Empieza bordeando el lago Láca. En el kilómetro 20 se encuentra el Mirador del Arroyo Partido, llamado así porque el cauce se abre en dos brazos: el de la derecha desemboca en el Océano Pacífico y el de la izquierda en el Atlántico. Unos pocos kilómetros más adelante aparece el segundo lago, el Machónico, que se puede contemplar desde un mirador natural. En el km 43 se puede observar hacia la derecha y hacia abajo la cascada de Vuliñanco, un salto de 35 m, que cae en dos brazos a causa de una enorme piedra que divide las aguas. Un poco más adelante aparece el lago Falkner, con el cerro Buque en su margen sur, desde cuya cima se pueden ver cóndores en vuelo a simple vista. A la derecha del Falkner se ve el lago Villarino, y a unos tres kilómetros se debe prestar atención a la derecha ya que se puede ver entre la vegetación un pequeño lago de aguas color verde esmeralda: el lago Escondido. El próximo lago que aparece es el Correntoso, y unos kilómetros más adelante se encuentra uno de los miradores del lago Espejo, llamado así por el reflejo de las montañas sobre sus aguas. Retomando la ruta, unos kilómetros más adelante se tiene una espectacular vista del sector norte del lago Nahuel Huapi, el último del circuito. Poco antes de llegar a Villa la Angostura se cruza el río Correntoso, que une el lago Correntoso con el Nahuel Huapi, y que por su escasa extensión (unos 300 m) es considerado el río más corto del mundo. Hay cuatro lagos más fuera de recorrido que se pueden visitar desviándose de la ruta principal: Meliquina, Hermoso, Traful y Espejo Chico.

El macizo de la Guayana está situado en el este de Venezuela y Colombia, y es uno de los más antiguos del planeta. Tiene mesetas muy elevadas y con cortes muy abruptos que, debido a las intensas lluvias de la zona originan numerosas cascadas, como el Salto Ángel (Venezuela), de 979 m, el salto de agua más alto del mundo. En estas mesetas predominan las sabanas y los bosques en galería, que se forman a lo largo de los ríos gracias a la humedad. Cuando la altura disminuye aparece la selva tropical. El macizo guayanés está muy poco habitado y su principal actividad económica es la minería.

El otro gran macizo sudamericano, el **macizo patagónico**, abarca casi toda la Patagonia argentina y el extremo sur de la chilena. En él se encuentran los hielos continentales (la tercera reserva mundial de agua dulce), de los que se desprenden casi 50 glaciares hacia Argentina y Chile. En el macizo patagónico también son abundantes los lagos de origen glacial. La vegetación es de arbustos, que soportan bajas temperaturas, fuertes vientos y pocas lluvias. En esta región, los suelos son por lo general fértiles, sin embargo las condiciones climáticas hacen difícil la agricultura; aunque favorecen la **cría de ovejas**, animales que soportan bien el frío. Otra actividad económica importante es la **explotación petrolífera**. Entre las ciudades más importantes de la región están Ushuaia, Río Gallegos, Comodoro Rivadavia (Argentina), Coihaique y Punta Arenas (Chile). ⫼

RECOMENDACIONES

⌘ Otras rutas, paisajes y parques nacionales de Sudamérica:
Parque Nacional Galápagos, Ecuador. www.galapagospark.org
Caribe colombiano. www.colombianparadise.com
Parque Nacional Archipiélago de Los Roques, Venezuela. www.los-roques.org
Camino del Inca, Perú. www.camino-inca.com
Parques nacionales de Argentina. www.parquesnacionales.gov.ar
Parques nacionales de Chile. www.conaf.cl
Tren de las Nubes, Argentina. www.cafeytren.com/trenesmiticos/tren_nubes.php

🎥 *Diarios de motocicleta* (2004), de Walter Salles.
Un lugar en el mundo (1992), de Adolfo Aristarain.
La teta asustada (2009), de Claudia Llosa.
La estrategia del caracol (1993), de Sergio Cabrera.

📖 *La casa verde* (1965), de Mario Vargas Llosa.
Patagonia Exprés (2001), de Luis Sepúlveda.

◉ El lago Puelo, en la provincia de Chubut (Patagonia argentina).

2. En un mapa mudo de América del Sur marca con distintos colores las llanuras, macizos y montañas que menciona el texto.

3. ¿Por qué crees que los Andes son un nido de cóndores? ¿En qué parte del continente hay petróleo? ¿Qué zona de Sudamérica es la más resistente a los terremotos?

Az 4. Escribe el nombre de las siguientes definiciones y busca un ejemplo de lugar en el texto:

Definición	Nombre	Lugar
Ave de gran tamaño que vive en la cordillera a más de 3000 m	Cóndor	Andes
Pradera tropical con arbustos y árboles dispersos		
Parte más antigua y dura de la superficie terrestre		
Cadena de montañas muy altas		
Caída de agua más alta del mundo		
Superficie de tierra plana, extensa y generalmente muy fértil		

5. Busca en internet cuatro o cinco imágenes de los paisajes de tu país que más te gusten o que te parezcan más interesantes, y recopila información sobre ellos en una ficha. Después, tus compañeros tendrán que adivinar de qué lugares se trata; si no los conocen, les explicarás cada imagen y por qué las has escogido.

Nombre	Ubicación	Tipo de paisaje	Puntos de interés

6. Averigua en internet con qué ciudades están hermanadas las que aparecen en el texto. ¿Hay alguna de tu país? ¿Cuál? Averigua por qué se han hermanado y compártelo con tus compañeros.

7. A. En grupos, haced un proyecto de ruta por América del Sur para una agencia de viajes. Podéis elegir uno de los lugares que aparecen en esta unidad o proponer uno nuevo.

Buscad: información, imágenes y mapas.
Organizad un recorrido indicando cómo acceder a la zona, en qué medio de transporte se puede hacer el recorrido, la extensión, duración y las curiosidades de la ruta, etc.

B. En grupos, presentad vuestra ruta al resto de la clase. Cada compañero se apuntará a la ruta que más le guste.

8. Haz una lista con lugares de tu país que creas que deben ser declarados Patrimonio de la Humanidad. Escoge uno y escribe a la UNESCO pidiendo su inclusión. Argumenta tu petición y justifica la candidatura. Infórmate en su página web: http://portal.unesco.org/es

1. ¿A qué ciudad crees que pertenecen estas imágenes?

2. Escucha la siguiente canción y descubrirás de qué ciudad se trata. Consúltalo con tus compañeros para ver si estáis de acuerdo.

CD2

3. Vuelve a escuchar la canción y anota las palabras que usa la cantante para describir la ciudad.

4. ¿Cómo describirías tú la ciudad de la que se habla en la canción? ¿Usarías los mismos adjetivos para describir tu ciudad?

5. ¿Conoces alguna canción que hable de tu ciudad? Cuéntale al resto de la clase qué dice la letra y enumera los lugares que menciona.

1. Ahora vais a ver un vídeo sin sonido sobre uno de los paisajes descritos en esta unidad.

- ¿Qué elementos del paisaje aparecen? Anota cinco palabras que hayas leído a lo largo de la unidad que sirvan para describir el tipo de paisaje que has visto.

- ¿De qué lugar crees que se trata? ¿Es un paisaje de España, América del Norte, América del Sur o América Central y El Caribe? Señálalo en un mapa.

- Una vez identificado el espacio geográfico, di de qué tipo de paisaje se trata.

2. Vuelve a ver el vídeo con sonido y responde:

- ¿Cómo se llama el paisaje del que trata el vídeo?
- ¿Podrías decir un sonido característico de este paisaje?
- ¿Por qué dos cosas es conocido el pueblo de Trevélez?

3. A partir de lo que habéis visto y oído, ¿podríais deducir qué tipo de clima y de vegetación tiene el lugar?

4. ¿Las imágenes te recuerdan algún paisaje de tu país? Explícale al resto de la clase qué cosas te han recordado ese paisaje de tu país.

LENGUA ESPAÑOLA

3

- · Biografía de la lengua española
- · Diversidad
- · Lenguas en contacto

"Somos hijos y padres de una lengua que, como el agua, va y viene por todas partes sin renunciar a su ancestral naturaleza. Somos, los hablantes de América y los de la maternal España, un mismo cuerpo en el que todas las voces se comunican, se hacen guiños, se reconocen en la diversidad y se enriquecen en la identidad. La lengua es nuestra patria común, nuestra costumbre, nuestro modo de ser y, si no fuera como es, abierta a los múltiples horizontes de la realidad y de la historia, tampoco nosotros seríamos como somos".

Tomás Eloy Martínez, escritor argentino, en la Inauguración del IV Congreso de la Lengua española en Cartagena de Indias, Colombia, 2007

BIOGRAFÍA DE LA LENGUA ESPAÑOLA

1. Trabajad en grupos de cuatro. ¿Qué sabéis del origen de vuestra lengua? ¿Es una lengua románica, germánica, eslava…? Justificad vuestras respuestas.

2. Leed el texto y, luego, realizad las actividades restantes:

La lengua de los soldados y comerciantes

El español viene del **latín**. Entre los siglos III y I antes de Cristo, el Imperio Romano conquistó la Península Ibérica y la convirtió en una de sus provincias. El latín, en su variedad vulgar, la que hablaban los soldados y comerciantes pero no las personas cultas de la capital, se extendió por todo el territorio, sustituyendo poco a poco las lenguas de la población autóctona. Este proceso, llamado **romanización**, se dio en todos los territorios que pertenecieron al Imperio Romano. El latín fue la base de varias lenguas europeas llamadas románicas. Además del español, son lenguas románicas el italiano, el francés, el portugués, el gallego, el catalán, el occitano o provenzal, el rumano, el sardo (hablado en Cerdeña) y el retorromano (lengua románica hablada en Suiza).

No todo viene del latín

El latín es la base morfológica y sintáctica de la lengua española. Es, por así decirlo, el ADN del español. La mayoría de las palabras españolas provienen del latín, pero no todas. Ya desde sus orígenes, el español se mezcló con otras lenguas. En primer lugar, con las que

⊕ *La Alhambra de Granada es una de las muestras de arquitectura árabe más emblemáticas de España.*

se hablaban antes de la romanización: el íbero, el celta… También dejaron su huella el griego y las lenguas germánicas. Pero después del latín, la lengua que más ha influido en el español, con más de 4.000 palabras, es el **árabe**. Los árabes entraron en la Península Ibérica en el año 711 y permanecieron en ella durante casi ocho siglos. En este largo periodo de tiempo hubo conflictos, pero también épocas de convivencia pacífica. Los árabes aportaron una cultura riquísima y muchos avances tecnológicos.

A partir del siglo XVI el léxico del español se enriqueció con aportaciones de otras lenguas: las indígenas americanas, el francés, el italiano, el catalán, el portugués, el vasco y el inglés.

⊕ *Anfiteatro romano de Tarragona, antigua Tarraco, capital de la provincia romana de Hispania.*

La infancia: Primeros documentos escritos

La evolución del latín hasta convertirse en la nueva lengua, el español, duró varios siglos. Las primeras muestras escritas del español son del siglo X. Se encuentran en textos religiosos en latín, y se trata de anotaciones al margen escritas en un español muy primitivo. Estas notas fueron tomadas por alguien que necesitaba escribir aclaraciones al texto en latín en su propia lengua, la que se hablaba normalmente, no en la lengua de la misa. De la misma época son las **jarchas**, unos breves poemas de temática amorosa escritos en lengua española pero en alfabeto árabe.

Durante los siglos posteriores, los documentos escritos enteramente en español fueron sustituyendo a los textos en latín.

Mayoría de edad. Primera gramática

Un profesor de la Universidad de Salamanca, **Antonio de Nebrija**, escribió en el año 1492 la *Gramática castellana*, la primera descripción de las categorías gramaticales y de la ortografía del español. Fue la primera gramática europea de una lengua vulgar, ya que hasta aquel momento solo el latín era considerado lengua culta. Fue escrita en la época en que se inició la conquista de los territorios americanos y la expansión del imperio de la monarquía española. El español, como antes el latín, fue un instrumento de dominación pero también de cohesión. Las lenguas indígenas aportaron al español una gran cantidad de léxico nuevo: todo aquel que nombraba los árboles, animales y productos que en España no se conocían.

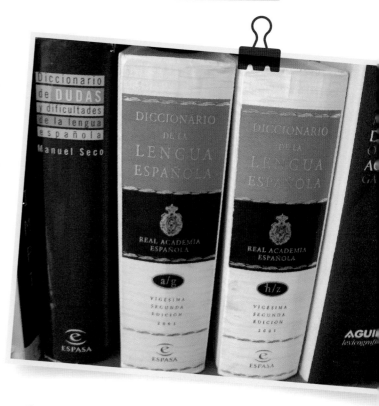

Madurez, adaptación y actualización

La **Real Academia de la Lengua Española** (RAE) se fundó en 1714 para proteger la pureza del idioma. Durante los primeros tiempos su política lingüística era muy rígida y se ceñía al español de España. En la actualidad, la RAE fomenta la cohesión de una lengua que se habla en todo el mundo y en lugares muy distantes entre sí. Hoy en día la RAE está estrechamente unida a las 22 academias del español que existen en el mundo. La más reciente de sus obras, hecha conjuntamente por todas las academias, es la *Nueva Gramática de la lengua española*. Es la primera gramática académica desde 1931 y recoge el resultado de once años de trabajo de las 22 academias de la lengua española. |||

RECOMENDACIONES

Puedes obtener más información sobre la historia del español en el Centro Virtual Cervantes, http://cvc.cervantes.es

Puedes consultar la página de la Real Academia de la Lengua Española (RAE) www.rae.es , donde encontrarás respuestas a muchas de tus dudas gramaticales y el mayor diccionario de español.

3. ¿Qué datos del texto te han sorprendido más?

4. Con los datos del texto, en parejas, haced un esquema cronológico de la historia del español. ¿Se parece a la historia de vuestra lengua? ¿En qué? Haced una lista de semejanzas y diferencias.

Az **5.** Completa este mapa conceptual con todas las palabras relacionadas con la lengua española que hay en el texto.

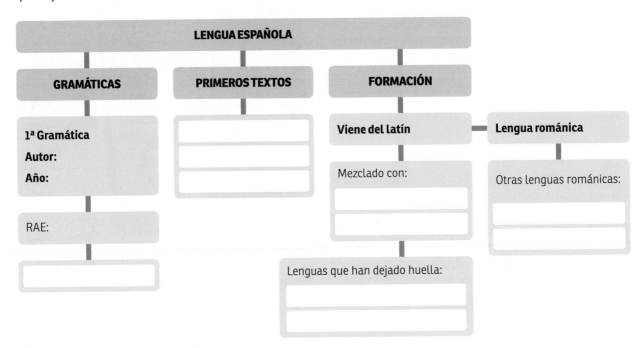

6. A. ¿Conoces el origen de estas palabras españolas?

abogado	barraca	camino	cerveza	hombre	jamón	paella
aceite	barro	campeón	champú	hotel	mejillón	piloto
álgebra	batalla	canoa	conejo	huracán	mujer	pincel
arroz	café	caramelo	fútbol	izquierda	novela	poesía

Plantea hipótesis sobre sus posibles orígenes y luego busca en el diccionario de la RAE para verificarlo www.rae.es/rae.html. Clasifícalas según su origen (celta, hispano árabe, francés, catalán, vasco o euskera, portugués, inglés, gallego, latín, griego, náhuatl, tahíno, etcétera).

7. Con la lista de puntos que tienes de la actividad 4, prepara un pequeño texto expositivo sobre las semejanzas y las diferencias entre tu lengua y el español.

8. Elige una palabra que te guste mucho en español y busca su historia, su origen, su significado, cómo la has conocido, en qué frases, textos y contextos la aprendiste, etc. Prepara una presentación sobre esta palabra para tus compañeros.

DIVERSIDAD

1. Tu lengua materna, ¿se habla igual en todas partes? ¿Cuántos hablantes tiene? Compara tus respuestas con las de un compañero.

2. Trabaja con un compañero. ¿Recordáis en qué países se habla español? Enumeradlos o señaladlos en un mapa del mundo.

3. ¿Estáis de acuerdo con estas afirmaciones? ¿Por qué? Justificad vuestra respuesta.

> **a.** No se puede decir "castellano", la lengua española se llama "español".
> **b.** El español que se habla en España y el de América no son la misma lengua.
> **c.** El castellano de España está uniformado, los españoles hablan todos igual.
> **d.** Cada país de América tiene su propio acento.
> **e.** El castellano se habla también en África y en Asia.

Una lengua con muchos hablantes

Se calcula que en el mundo hay alrededor de 400 millones de hispanohablantes. El español o castellano (son sinónimos) es lengua oficial en **Argentina, Bolivia, Chile, Colombia, Costa Rica, Cuba, Ecuador, El Salvador, España, Guatemala, Guinea Ecuatorial, Honduras, México, Nicaragua, Panamá, Paraguay, Perú, Puerto Rico, República Dominicana, Uruguay** y **Venezuela**. También se habla en los **Estados Unidos** y, minoritariamente, en **Filipinas**, pero en estos dos países no es lengua oficial.

❷ *El español recibe mucha influencia del inglés tanto en España como en América.*

Una lengua con muchos matices

La lengua que se habla en América y en España es la misma. Pero tanto en España como en América existen diferencias en la entonación, la fonética, la morfología y la semántica.

Las características **fonéticas** del español que se habla en América son muy parecidas a las de la regiones españolas de Andalucía y de Canarias, de donde procedían la mayoría de los españoles que llegaron a América en los siglos pasados. Las rasgos principales son la **aspiración de la s** al final de sílaba (*ehtoh* por *estos*); la **pérdida de la consonante final** de palabra cuando la última sílaba es tónica; el **seseo** (*sapato* por *zapato*); y el **yeísmo** (pronunciación de la *ll* como *y*): *caye* por *calle*. Este último fenómeno ha evolucionado en Argentina y Uruguay (*cashe* por *calle*).

❶ *Mezcla de español e inglés en un cartel de un bar de Nueva York.*

En cuanto a la morfología, hay que destacar el **voseo**, que consiste en usar el pronombre *vos* en lugar de los pronombres *tú* y *ti*. Las formas pronominales *vos* y *te* van con una forma especial de la segunda persona del plural del verbo (*vos sos* por *tú eres*; *vos venís* por *tú vienes*, etc.). El plural de *vos* es *ustedes*. El voseo se da en Argentina, Uruguay, Paraguay, América Central y en el suroeste de México.

En lo que a la semántica se refiere, hay términos que son **tabú** en algunos países (por ejemplo, *coger* en la mayoría de países latinoamericanos o *concha* en Argentina), pero que en otros no tienen ninguna connotación añadida. Esto puede causar cómicos malentendidos...

© *El cine en español llega con frecuencia a distintos países de habla hispana.*

© *Las diferencias entre el español de las distintas partes del mundo son en gran parte léxicas.*

Una lengua con muchos puentes entre sus dos orillas

Después de varios siglos de desajustes y ayudándose de la nuevas tecnologías, las academias de la lengua de todos los países hispanohablantes toman sus decisiones conjuntamente, dando testimonio de unidad en la diversidad de la lengua española, y de que ninguna de las variantes del español puede considerarse superior o más legítima o correcta que las demás. ⫼

4. Leed el texto y, con sus datos, verificad vuestras respuestas.

5. Enumera tres cosas nuevas que hayas aprendido leyendo el texto.

6. Resume la idea o las ideas principales de cada uno de los apartados del texto.

Az **7.** Encuentra en el texto los sinónimos de las siguientes palabras:

Centroamérica	*América central habla hispana*
castellano	*español*
palabras	*lengua*

8. A. ¿Qué palabras forman los siguientes términos del texto que has leído?

hispanohablante	*hispano*	*hablante*
suroeste	*sur*	*oeste*
malentendido	*mal*	*entendido*

B. ¿Qué palabras conoces con el prefijo **hisp**-? ¿Y con el prefijo **sur**-?

hisp-	sur-

9. Busca las siguientes palabras en los tres diccionarios abajo mencionados y compara sus significados:

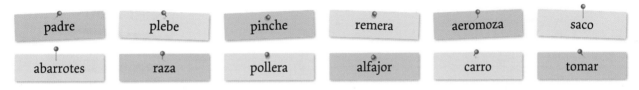

padre   plebe   pinche   remera   aeromoza   saco

abarrotes   raza   pollera   alfajor   carro   tomar

Página con enlaces a diccionarios de distintas variantes del español: www.elcastellano.org/diccio.html
Diccionario de la Real Academia Española: www.rae.es

10. Prepara una breve presentación oral sobre un cantante o un grupo musical o un artista de un país en el que se hable español. Deberás aportar, además de datos sobre su trayectoria artística, alguna entrevista en audio o vídeo en la que se pueda oír cómo se expresa.

LENGUAS EN CONTACTO

1. ¿Cuántas lenguas se hablan en tu país? ¿Cuántas de ellas son oficiales?

2. Observa los documentos que ilustran esta unidad. ¿Cuántas lenguas reconoces? ¿Puedes decir de qué país son?

El español y la diversidad lingüística

El español se habla en muchos países de varios continentes, y en algunos de esos países convive con otras lenguas. En la mayoría de los países hispanohablantes se dan situaciones de **bilingüismo** o de **plurilingüismo**. En algunos países el español es cooficial junto con otras lenguas. En otros es el idioma oficial, mientras que las otras lenguas con las que convive no disfrutan de ese rango. Desde hace algunos años, muchos países reconocen en sus constituciones los derechos lingüísticos de sus ciudadanos y dictan leyes de protección y de incorporación de las lenguas cooficiales a la enseñanza. Hoy en día el plurilingüismo se considera patrimonio cultural.

> **DERECHOS LINGÜÍSTICOS**
>
> **El artículo 3 de la Constitución Española (1978)** reconoce el derecho de las comunidades autónomas a usar sus propias lenguas.
>
> Según este artículo, el castellano o español es la lengua oficial del Estado español. Las demás lenguas serán también oficiales en sus comunidades autónomas. La riqueza de las diferentes variantes lingüísticas de España es una herencia cultural y es objeto de respeto y de protección especial.

⬥ *Las lenguas que se hablan en Epaña.*

ESPAÑOL   GALLEGO   CATALÁN   EUSKERA

GALICIA — ASTURIAS — CANTABRIA — PAÍS VASCO — NAVARRA — LA RIOJA — CASTILLA Y LEÓN — ARAGÓN — CATALUÑA — COMUNIDAD DE MADRID — EXTREMADURA — CASTILLA LA MANCHA — COMUNIDAD VALENCIANA — ISLAS BALEARES — MURCIA — ANDALUCÍA — ISLAS CANARIAS

❶ *Nombre de una calle en catalán y en español.*

España: un país plurilingüe

En España, el español es la lengua oficial, aunque en algunas comunidades convive con otras lenguas cooficiales: el **gallego** en Galicia, al noroeste; el **euskera** en el País Vasco, al norte; el **aranés**, en los Pirineos catalanes; y el **catalán** en el nordeste mediterráneo y las islas Baleares.

Pero además, en España se habla el **árabe** en las ciudades de Ceuta y Melilla; el **bable** en Asturias, al norte, entre Galicia y el País Vasco; el **portugués** en zonas de Extremadura, en el sureste; la **fabla** en Aragón, al sur de los Pirineos centrales; y el **caló**, la lengua de los gitanos, en todo el territorio español.

El **bable** o asturiano se habla en Asturias, en el norte de España. Esta lengua tiene 100.000 hablantes nativos y más de 450.000 personas la usan como segunda lengua, siendo capaces de hablarla y entenderla.

El **caló** es una lengua que habla la comunidad gitana de España. Es una lengua mixta, de base gramatical española y vocabulario gitano (romaní). Esta lengua está registrada en textos desde el siglo XVIII. Los gitanos son la mayor minoría étnica española. Es una comunidad de unos 500.000 habitantes que se concentra principalmente en las comunidades de Andalucía, Madrid y Cataluña. El caló también se habla en el sur de Francia, el sur de Portugal y, en menor medida, en Brasil y los países de habla hispana de Latinoamérica. El español tiene muchas influencias del vocabulario caló, muchas de las palabras de la jerga juvenil y popular provienen de esta lengua.

🔊 *Nombre de una calle en árabe y en español en la ciudad marroquí de Tetuán.*

🔊 *En España se publican periódicos en las cuatro lenguas oficiales del país.*

UN CASO ESPECIAL: EL JUDEO-ESPAÑOL

El judeo-español o sefardita es la lengua de los descendientes de la comunidad judía que fue expulsada de España en el siglo XVI. Esta lengua es una mezcla del español que se hablaba en el momento de la expulsión de los judíos y de las lenguas de los países que los acogieron. Las sucesivas guerras y el genocidio sufrido por la comunidad judía durante la Segunda Guerra Mundial han sido la causa de la dispersión y la desaparición de muchos de sus hablantes. Actualmente se estima que el judeo-español es una lengua conocida por unas 350.000 personas distribuidas por todo el mundo y cuyos núcleos más importantes están en Israel, Turquía, Bulgaria, EE UU (Nueva York), Francia, Bélgica y Grecia. Hay varios periódicos editados en este idioma, así como emisoras de radio y discográficas que publican música sefardita.

Hispanoamérica: un inmenso mosaico lingüístico

Los hispanohablantes americanos comparten lengua desde el norte de México hasta el sur de Argentina y Chile, aunque en muchos de sus países se hablan también otras lenguas. Se calcula que en Hispanoamérica hay 35 millones de hablantes de lenguas indígenas procedentes de distintas familias lingüísticas: el **quechua** tiene más de diez millones de hablantes en Perú, Bolivia, Ecuador, Colombia y el norte de Argentina; el **aymará**, en Bolivia, es hablado por 2,2 millones; el **maya-quiché**, por 1.400.000 en Guatemala y en el Yucatán mexicano; un millón de hablantes tiene también el **náhuatl**, en México. Otras lenguas tienen menos hablantes, como el **mapuche**, al sur de Chile y Argentina, que hablan 440.000 personas; el **mískito**, hablado en Honduras y Nicaragua, tiene 150.000 hablantes. Otras lenguas están en peligro de extinción, como el **mayagna** o **sumo**, que hablan apenas 5.000 personas en Nicaragua y Honduras.

Mestizaje: el spanglish y el portuñol

La convivencia del español con el inglés en los EE UU y con el portugués en Brasil ha dado lugar a dos jergas híbridas formadas por la fusión morfológica y semántica de las dos lenguas en contacto, el spanglish y el portuñol.

Hay mucha polémica respecto a conceder la categoría de lengua a estas variantes, pues se consideran una mezcla alejada de la norma. Pero la realidad nos muestra que el spanglish y el portuñol están vivos y que se usan tanto en la vida cotidiana como en internet, e incluso hay escritores que los reivindican. El futuro dirá la última palabra. ▮▮▮

RECOMENDACIONES

📖 *Yo-Yo Boing*, de Giannina Braschi, sobre el spanglish.

🎬 *Las mujeres de verdad tienen curvas* (2002), de Patricia Cardoso, sobre el bilingüismo de los hispanos en los Estados Unidos.

📡 Pasatiempos en http://cvc.cervantes.es para conocer palabras del español de origen caló.

📖 *Lenguas del Mundo* (1990), de Juan Carlos Moreno. Carme Junyent, *La diversidad lingüística* (1999).

📡 Programa UNESCO para preservar la diversidad lingüística en http://portal.unesco.org Declaración Universal de los Derechos Lingüísticos: www.unesco.org

📖 *Los prejuicios lingüísticos* (1997), de J. Tusón Valls.

3. En parejas, volved a leer los carteles y decid a qué párrafo del texto se corresponden. ¿Por qué?

4. Preparad cinco preguntas sobre el texto y hacédselas a vuestros compañeros.

Az 5. En parejas, completad la información que se da más abajo con las siguientes palabras:

✓**convivencia**   **indígenas**   ✓**plurilingüismo**
derechos lingüísticos (2 veces)   ✓**lenguas**   ✓**riqueza patrimonial** (2 veces)
diversidad lingüística   **oficial**

La protección del patrimonio lingüístico mexicano

Las _____ (1) son la expresión cultural de los pueblos, son una _____ (2) y son portadoras de los conocimientos necesarios para alcanzar un mundo sostenible y en paz. La UNESCO es una de las instituciones que impulsa la conciencia del valor del _____ (3) y contribuye a preservar la _____ (4) en el mundo. Para ello ha promovido la Declaración Universal de los _____ (5), que fue firmada en Barcelona (España) en el año 1996.

El reconocimiento de esta _____ (6) es fundamental para garantizar una _____ (7) armónica entre los grupos que comparten un mismo territorio, como es el caso de México, donde el idioma _____ (8) es el español, aunque existen 62 lenguas _____ (9) utilizadas por alrededor de doce millones de personas. Desde el año 2003, en este país existe la Ley general de los _____ (10) de los pueblos indígenas reconociendo los derechos individuales y colectivos de los pueblos de México.

6. "Lengua en peligro de extinción". ¿Conoces esta expresión aplicada a otro concepto que no sea el de la lengua? Escribe algún ejemplo. ¿Cómo se dice en tu lengua?

7. A. Realiza una búsqueda en Google u otro buscador a partir de las siguientes expresiones: "lenguas del mundo y español" y "lenguas en contacto".

B. Con la información obtenida y la que te ofrece el texto de la unidad, sitúa estas lenguas junto con el español en un mapa del mundo.

8. Haz una ficha de presentación de una de las lenguas en contacto con el español.

> **En la ficha debe constar:**
> - la familia lingüística a la que pertenece, dominio geográfico y estados en los que se habla, número de hablantes, estatus oficial, si se estudia en la escuela, si está o no en peligro de extinción, etc.
> - tres palabras de esa lengua que se usen en español.
> - el nombre de algún autor literario o alguna manifestación cultural relacionada con esa lengua.
> - cómo se dicen en esa lengua las palabras hablar, amor, agua y nosotros.

1. ¿Conoces el mito de la Torre de Babel? Si no lo conoces, busca información sobre este episodio del Antiguo Testamento.

2. Desde tu punto de vista, ¿la convivencia entre lenguas es negativa o positiva?

3. Antes de escuchar la canción de esta unidad, completa el siguiente fragmento de su letra con las palabras de que están a la derecha. Para hacerlo, fíjate en el género, el número, el significado y la rima de las palabras.

> Y ver el .... (1) y la .... (2) en un lugar común.
> La .... (3) que nos moja en un lugar común
> las diferentes .... (4) del lugar.
> Y ver la casa y la .... (5) en un lugar común
> el .... (6) que nos mece en un lugar común
> los diferentes .... (7) del lugar.
> Contra la Torre de Babel un ancho .... (8)
> Y todo el .... (9) por beber.

agua   árbol   escalera

cantos   fruta   lenguas

lluvia   río   viento

CD 3

4. Escucha la canción y verifica si tus elecciones son las correctas.

5. ¿Cuáles son las lenguas de tu «lugar» (tu clase, tu barrio, tu país)?

6. ¿Qué frase de la canción te gusta más?

7. Debatid: ¿Por qué hay conflictos lingüísticos?

1. Mira el primer minuto del fragmento, sin voz, y responde a las preguntas:

- ¿Cuántos personajes hay?
- ¿Cuántos adultos?
- ¿Cuántos jóvenes?
- ¿De qué edades?
- ¿Hay algún personaje del que se pueda saber su profesión?
- ¿Cómo lo sabes?
- ¿Qué hacen?

2. Vuelve a ver el fragmento, esta vez entero y con voz, y contesta a las preguntas:

- ¿Qué personaje no es argentino?
- ¿De dónde es?
- ¿Cómo lo sabes?
- ¿Qué personajes hablan más?
- ¿De qué temas hablan?
- ¿A qué momentos de la historia de Argentina y de la historia de España hacen referencia los personajes?

3. Vuelve a ver el fragmento y responde las preguntas:

- ¿Cómo se llama el personaje español? ¿Tiene nombre y apellidos españoles? ¿Por qué?
- ¿Qué edad tiene Ernesto?
- ¿De qué trabajaba Mario? ¿Qué le ocurrió?
- ¿Por qué Ana traduce a la hermana Nelda algunas de las expresiones de Hans?

4. Rellena este cuadro escuchando el momento en que Hans cuenta la historia de sus padres:

Español de Argentina	Español de España
Mucama	
	No tenían ni un duro

ECONOMÍA

- Actividades económicas
- Grandes empresas españolas y latinoamericanas
- Movimientos migratorios, ¿billete de ida y vuelta?

4

"Un primer curso de economía no permite dominar todos sus intrincados y esotéricos temas, pero puedo decirle, basándome en la experiencia de estudiantes de todo el mundo, que el mejor curso de economía es el de introducción. Una vez que haya entrado en este nuevo y extraño jardín de ideas, el mundo nunca será igual. Y cuando dentro de unos años recuerde la experiencia, incluso lo que no entendía mucho habrá madurado claramente".

Paul Samuelson, Premio Nobel de Economía 1970

ACTIVIDADES ECONÓMICAS

1. Después de leer el título, ¿qué palabras crees que aparecerán en el texto? Debatid vuestras ideas; el profesor las apuntará en la pizarra.

Las actividades económicas son aquellas que permiten la generación de riqueza dentro de un territorio (ciudad, región, país) mediante la extracción, transformación y distribución de los recursos naturales (actividad primaria), la fabricación de productos elaborados (actividades secundarias) y los servicios a personas y empresas (sector terciario).

Las materias primas: agricultura, ganadería y pesca

El **sector primario** agrupa las actividades que explotan los recursos naturales, como la ganadería, la minería, la pesca o la **agricultura**. Esta última, por ejemplo, fue hasta la década de 1960 el soporte principal de la economía española, pero en la actualidad emplea solamente alrededor del 5 % de la población activa. Los principales cultivos son los de cereales, remolacha azucarera, patatas, tomates y cebollas. España también cuenta con extensos olivares, viñedos y huertos de cítricos.

En América Latina la infraestructura agrícola es menos moderna que en Europa y los cultivos no tienen las fuertes subvenciones de organismos como la Unión Europea. Algunos países como Bolivia o Perú emplean a más del 30% de su población activa en labores agrícolas; en otros, como Argentina, Chile o Venezuela, este porcentaje no llega al 20%. En las áreas tropicales y de clima templado los cultivos se destinan a exportación, como el café brasileño o colombiano, el cacao, los plátanos, la caña de azúcar y el algodón. Desde 1970, la soja se ha convertido en un importante cultivo en la región meridional; Brasil y Argentina son los principales productores.

Zona de cultivo extensivo en Bolivia.

⊙ *Ovejas en Las Carboneras (Islas Canarias, España).*

En cuanto a **ganadería**, Argentina, Colombia, Paraguay y Uruguay son grandes productores de ganado vacuno para exportación de carne. También la piel y la lana se exportan. Una característica distintiva de la ganadería en América Latina es que es mayoritariamente **extensiva**. En contraste, en España es principalmente **intensiva** y con predominio del ganado porcino y ovino.

La **actividad pesquera** es menos importante hoy para la economía española que en el pasado, con todo, España está entre las principales potencias pesqueras de Europa. Se pesca principalmente atún, calamares, pulpo, merluza, sardinas, anchoas, caballa, pescadilla y mejillones. Los barcos españoles faenan también en aguas de todo el mundo, tanto en el Océano Atlántico como en el Pacífico oriental, en el Ártico y, más recientemente, en el Índico.

América latina ocupa un importante lugar en la pesca mundial. Chile, por ejemplo, es el segundo productor de salmón cultivado más importante del mundo después de Noruega. Las aguas costeras del Pacífico sudamericano son las más importantes para la pesca comercial. Se captura principalmente anchoveta y atún.

Industria y construcción

El **sector secundario** incluye las actividades que transforman las materias primas en productos elaborados, es decir, la **construcción** y la **industria**. España se encuentra entre las diez economías más poderosas del mundo y destaca en los siguientes sectores: electrónica e informá-

tica, material eléctrico, insdustria química y fabricación de automóviles; también es uno de los primeros productores mundiales de vino. El sector de la construcción es uno de los más importantes del país.

El desarrollo industrial en América Latina es, en general, de nivel medio y se enfrenta con algunos problemas, como los reducidos mercados nacionales, una tecnología inadecuada y redes de transporte y distribución insuficientes. También hay una fuerte presencia de industrias de origen extranjero. Argentina y México son las principales economías de los países hispanoamericanos. Forman parte del G-20 y, a pesar de estar entre los países más industrializados de la región, una de sus actividades económicas más extendida e importante es el tratamiento de productos agrícolas (industria manufacturera agrícola). Destacan también el sector textil, el de bebidas, el de vehículos de motor y plásticos, las refinerías de petróleo, las plantas siderúrgicas de hierro y acero, y las de cemento.

Comercio y turismo: ¿el último eslabón de la cadena?

El **sector terciario**, finalmente, incluye la prestación de servicios y todas las actividades que no pertenecen a los otros dos sectores. Normalmente, en los países desarrollados, más del 60% de la población activa trabaja en este sector, que agrupa actividades como el comercio, la sanidad, la educación, la cultura o el **turismo**. Esta última actividad es una de las bases de la economía española: es el segundo país del mundo con más visitas de extranjeros al año. La bonanza del clima y su extensa línea de costa han favorecido el desarrollo del llamado turismo de sol y playa, aunque últimamente la oferta se ha diversificado potenciando nuevas modalidades de turismo, como el cultural, el rural o el gastronómico.

❶ *La pesca es una actividad económica importante en la costa atlántica española.*

El turismo también es una importante fuente de ingresos para muchos países del Caribe y da empleo a buena parte de su población. México, por ejemplo, es el primer destino turístico en América Latina y el octavo a nivel mundial.

Otra de las actividades del sector terciario que sobresale en Latinoamérica es el **comercio**. A nivel intercontinental está representado por la exportación de recursos mineros y energéticos, como el petróleo mejicano y venezolano y sus derivados, y los productos agrícolas. Dentro del intercambio comercial continental los principales productos son el trigo, la carne vacuna, el vino y las bananas (plátanos); también ha aumentado el volumen comercial de artículos manufacturados.

La sociedad de la información y el conocimiento

A estos tres sectores tradicionales de la economía se suele añadir un cuarto sector, el **cuaternario**. Aglutina actividades empresariales y políticas con un alto grado de especialización relacionadas con la **gestión y distribución de la información**, tales como las **nuevas tecnologías** y la **investigación**. Incluye empresas ligadas con las tecnologías de la información, las actividades relacionadas con las finanzas, ciertas empresas ligadas a la información, como las editoriales, los medios de comunicación, las bibliotecas, consultorías y hasta las empresas telefónicas. La mayor concentración de este tipo de empresas se da en las grandes ciudades de los países más industrializados. En España destacan Telefónica (sector de las telecomunicaciones) y Grupo Santander (sector bancario). III

❷ *Turistas visitando las ruinas mayas de Chichén Itzá, en la Península del Yucatán (México).*

RECOMENDACIONES

📶 En www.infoagro.com encontrarás mucha información sobre agricultura, con noticias, cursos, ferias y eventos, precios agrícolas y enlaces a instituciones vinculadas al sector.

Y si quieres conocer más sobre agricultura ecológica, visita www.criecv.org/es/ae

ACTIVIDADES ECONÓMICAS

2. Dibuja un mapa conceptual que sintetice el texto. Puedes usar el modelo que te proponemos o crear uno tú mismo. Aprovecha las palabras recogidas en el debate de ideas.

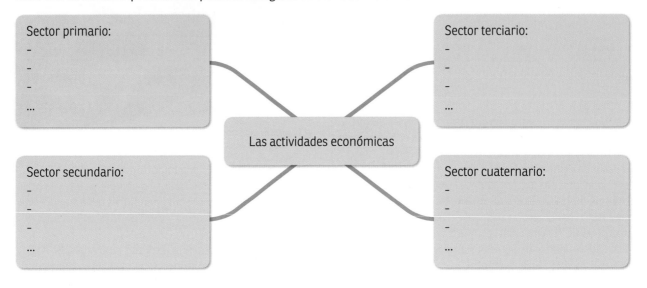

Sector primario:
-
-
-
…

Sector terciario:
-
-
-
…

Las actividades económicas

Sector secundario:
-
-
-
…

Sector cuaternario:
-
-
…

Az **3.** Encuentra la palabra intrusa en cada columna:

agricultura	mejillones	recursos naturales	economía
pesca	caña de azúcar	servicios	población activa
construcción	caballa	turismo	sector cuaternario
minería	anchoveta	cultura	América Latina

4. El texto enumera los principales cultivos de España y Latinoamérica, pero no aclara si son transgénicos. Busca en internet (Google, Wikipedia) si alguno de ellos es transgénico. ¿Tu país cultiva algún producto transgénico? Informa al resto de tus compañeros sobre las consecuencias que tiene para la salud humana su consumo.

5. Averigua en internet qué posición ocupa tu país en la lista de economías mundiales. Investiga también con qué criterios se ha elaborado esa lista y di si estás de acuerdo con ellos y por qué.

6. Elabora una lista de productos que utilices a diario pero que no se producen en tu país. Menciona de dónde proceden y, si no sabes, busca en internet. Encuentra en la clase compañeros que importen productos del mismo país y juntos haced una lista de exportaciones de ese país.

7. Haz un póster promocional con los atractivos turísticos de tu país o tu ciudad. Cuélgalo en el aula y recomienda a tus compañeros la mejor época del año para visitarlos.

GRANDES EMPRESAS ESPAÑOLAS Y LATINOAMERICANAS

1. ¿Conoces estos eslóganes?

> "¿Qué tan alto quieres llegar?"

> "Aerolíneas más que nunca…"

> "Queremos ser tu banco"

> "¿Sabes quién vino? ¡Falabrino!"

> "En México y el mundo la cerveza es…"

Todos ellos son de empresas del mundo hispano. En clase, completad los eslóganes y pensad a qué empresas pueden pertenecer. Ahora leed el texto y contrastad vuestras hipótesis.

En las últimas décadas, la presencia de empresas latinoamericanas y españolas en el panorama internacional ha crecido notablemente. Algunas no son conocidas por el gran público, como la empresa española de trenes Talgo o la mexicana América Móvil, la empresa de telecomunicaciones más grande de América Latina. En cambio, otras son mucho más visibles para la gente, como las del **sector textil** y de la **moda**.

Zara, la joya de la corona

Zara es una empresa española que ofrece ropa de moda de calidad media para público masculino, femenino e infantil. Cuenta con más de 1.400 tiendas en Europa, América, África y Asia. Su producción abarca estilos muy diferentes, desde la ropa de diario, más informal, hasta la más seria o formal. Forma parte del grupo INDITEX, al que también pertenecen otras marcas, como Pull and Bear, Massimo Dutti, Oysho, Bershka o Stradivarius, aunque Zara factura dos tercios de los ingresos del grupo. La clave de su éxito está en la **logística**, ya que la ropa se distribuye a cada tienda en un tiempo récord. Su modelo de negocio se basa en colecciones pequeñas que se renuevan con frecuencia y que se agotan rápidamente, creando la **sensación de exclusividad**.

RECOMENDACIONES

Sitios en internet de algunas empresas españolas y latinoamericanas con presencia mundial:

www.aerolineas.com.ar Aerolíneas Argentinas (líneas aéreas)
www.santander.com Banco Santander (banca)
www.chupachups.es Chupa-Chups (piruletas)
www.corona.com Corona (cerveza)
www.mango.es Mango (textil moda)
www.pemex.com PEMEX (energía)
www.repsol.com www.ypf.com Repsol-YPF (energía)
www.es.solmelia.com Sol Meliá (hoteles)
www.talgo.es Talgo (trenes)
www.telefonica.com Telefónica (telefonía)
www.zara.com Zara (textil moda)

"Aerolíneas más que nunca Argentinas"

Más conocida como Aerolíneas, es la **mayor línea aérea de Argentina**. Fundada originalmente como una Sociedad del Estado, en 1990 se convirtió en Sociedad Anónima y fue vendida a la aerolínea española Iberia, pero por problemas económicos acabó en manos del Estado Español. Dos años más tarde fue cedida a un consorcio formado por las aerolíneas privadas españolas Spanair y Air Comet junto con el operador de turismo Viajes Marsans. Finalmente, el Grupo Marsans fue obligado a retirarse de la compañía en 2008 al no poder afrontar una deuda millonaria. Hoy, todo el capital de Aerolíneas Argentinas pertenece al Estado argentino; de ahí su eslogan "Aerolíneas más que nunca Argentinas".

"En México y el mundo la Cerveza es… Corona"

Corona Extra es la cerveza mexicana más vendida en México y en el mundo. Es la marca líder del Grupo Modelo, que, además de Corona Extra, también exporta cinco marcas más: Corona Light, Negra Modelo, Modelo Especial y Pacífico. Su expansión internacional comenzó en la década de 1980 en el sur de Estados Unidos, donde la cerveza mexicana gozaba de gran simpatía, pues los turistas de ese país se llevaban la cerveza como recuerdo de sus vacaciones. Luego se amplió al resto del mundo y actualmente está presente en cerca de **160 países** de los cinco continentes. Fiel a su eslogan "En México y el mundo la Cerveza es… Corona", hoy es la **cuarta cerveza más vendida del planeta**.

◉ El grupo empresarial Modelo es uno de los principales exportadores de cerveza de México.

Guía práctica de protocolo y etiqueta

En gran parte de América Latina son frecuentes los **almuerzos** (comidas) de negocios, que suelen durar un par de horas: desde las 13 o 14h. hasta las 15 o 16h. La cena se reserva para un encuentro menos formal y más social, por lo que no suelen sorprender los pequeños retrasos. Muchos países hispanos tienen una actitud poco estricta con respecto a la puntualidad.

En el mundo hispánico son muy importantes las **redes de amigos** y conocidos, hasta el punto de que se prefiere hacer negocios con personas conocidas y en las que se confía. También se prefieren las negociaciones cara a cara en lugar de por teléfono o correo. Por eso, los acuerdos se hacen de **forma oral** primero y luego por **escrito**.

El encuentro: tratamiento y saludo

La primera presentación es formal y el tratamiento suele ser el de **Señor**, **Señora** o **Señorita**, seguido del apellido. En América latina es frecuente mencionar el título profesional (Profesor, Doctor, Licenciado, Ingeniero, Arquitecto…) antes del apellido. En España, a veces se usa **Don** en lugar de Señor, y **Doña** en vez de Señora o Señorita.

Los hombres se suelen dar un **apretón de manos** firme y breve. En Argentina y México es fundamental mirarse a los ojos mientras se da la mano. A medida que se gana confianza es frecuente saludarse con un abrazo o con palmadas en la espalda para demostrar confianza y afecto.

Las mujeres también se dan la mano entre ellas para saludarse, pero de forma más suave. En México, por ejemplo, se suelen dar palmadas en el antebrazo o en el hombro. Cuando ya se conocen, en la mayoría de países hispanos se saludan con un beso en la mejilla. En España, en cambio, se saluda con dos besos.

⊕ Darse la mano es una forma de saludo formal en los países hispanohablantes.

La negociación: algunas pautas culturales

En España se acostumbra a comenzar hablando de temas varios antes de entrar directamente en la negociación. También es común tratar varios temas simultáneamente o que dos o más personas hablen al mismo tiempo; se entiende como una demostración de interés por el tema, aunque nunca debe hacerse en una entrevista de trabajo. En Argentina también se suele romper el hielo con una breve **conversación informal** antes de empezar a hablar de negocios. Para los argentinos es muy convincente el lenguaje gestual, así que suele mantenerse el **contacto visual** con el interlocutor.

En México, el éxito en los negocios depende mucho de la habilidad para las relaciones sociales. En algunos casos puede ser más importante que la experiencia profesional, por lo que es muy importante tener **contactos** que puedan acercarte al cliente. En las negociaciones económicas nunca suele darse el mejor precio al principio de la negociación, ya que el **regateo** es usual.

La forma de vestir

Tanto en España como en América Latina la vestimenta para los negocios es formal y elegante. En Argentina es muy importante vestir bien si se quiere causar una buena impresión. Los **accesorios** o **complementos** (como los zapatos, el cinturón, o las gafas) suelen ser de buena calidad, pero sin que destaquen demasiado. ⫴

RECOMENDACIONES

🔊 ¿Quieres saber más sobre la normas del protocolo empresarial en España? Visita www.protocolo.org y en el menú superior horizontal entra en "laboral". Allí encontrarás información específica sobre el tema.

2. ¿Qué empresas de las que aparecen en el texto conocías y cuáles no? ¿Cuál es más conocida en tu país? Con un compañero, haced una lista con otras empresas hispanas que conozcáis.

3. ¿Qué marcas vende Inditex? ¿Las conoces? ¿Sabías que eran marcas españolas?

4. ¿Qué quiere decir "empresa estatal"? ¿Cuál es la única empresa que el texto menciona como estatal? ¿Cuáles son las principales empresas estatales de tu país? ¿Qué producen? ¿Alguna es conocida internacionalmente?

Az **5.** Haz una lista con las palabras de tratamiento (Señor, Don…) y los títulos profesionales, e intenta abreviarlas para su uso en lengua escrita. Apunta al lado el equivalente en tu lengua y su abreviatura. ¿Se utilizan todas? ¿En qué contextos?

Señor

Don

6. Escoge una empresa en la que te gustaría trabajar. Entra en su página web y busca ofertas de empleo o prácticas. Escribe una carta solicitando un empleo que te interese.

7. En la web que te hemos recomendado (www.protocolo.org) también hay información sobre protocolo en otros países en el menú general. ¿Qué dice sobre otros estados latinoamericanos? Apunta semejanzas y diferencias con los países del texto.

8. Visita la web del diario El País (www.elpais.com) y en el apartado "a fondo" ve a "empresas". Haz clic sobre el nombre de alguna; te aparecerá una ficha a la izquierda y artículos recientes a la derecha. Con la información que encuentres escribe un breve artículo informativo de unas 15 líneas (puedes acceder directamente en www.elpais.com/afondo/empresas).

9. Formad dos grupos y escoged cada uno una de las siguientes propuestas:

Una campaña para lanzar un producto de vuestro país en un país de habla hispana.

Una campaña para lanzar un producto hispánico en vuestro país.

Tendréis que pensar un eslogan, adaptarlo al país en el que promocionaréis vuestro producto y analizar si el producto tiene posibilidades de éxito o no.

10. Busca en la clase compañeros de tu misma nacionalidad y redactad cómo son las negociaciones en vuestro país, resaltando las diferencias con el mundo hispano. Haced una lista de consejos útiles para un hispanohablante que tiene que negociar con una empresa de vuestro país. Compartidla con el resto de estudiantes.

MOVIMIENTOS MIGRATORIOS: ¿BILLETE DE IDA Y VUELTA?

1. Tú y tu familia, ¿habéis vivido siempre en el mismo lugar? ¿Y tus abuelos? ¿Conoces a alguien que venga de otra ciudad u otro país? Reflexiona sobre qué los llevó a abandonar su lugar de origen.

Tradicionalmente, el pueblo español ha sido **migrante**. Durante muchos años y hasta mediados del siglo XIX, sus desplazamientos eran cortos y estacionales y coincidían con la siega del trigo, la vendimia de la uva o la cosecha de la aceituna. Pero en las últimas décadas de ese siglo empezó una de las migraciones más importantes que ha vivido España: la **emigración hacia América**. Las causas de la emigración siempre han sido básicamente económicas.

"Hacer las Américas"

Si bien el flujo de población española hacia América fue más o menos constante desde que comenzó la colonización, en las últimas décadas del siglo XIX se consolidó una importante corriente migratoria. En España, la agricultura era incapaz de dar trabajo a la creciente población rural. En algunas regiones de España (principalmente en Galicia y la costa cantábrica) el hambre obligó a mucha gente a emigrar. Los principales países receptores fueron **Argentina**, **Chile**, **Cuba**, **México**, **Uruguay** y **Venezuela**. Estos **países de acogida** ofrecían grandes oportunidades de empleo, territorios despoblados para instalarse y gran afinidad cultural y lingüística a los inmigrantes españoles. A esta migración se la llamó "hacer las Américas".

El exilio republicano, una migración forzosa

Con la **Guerra Civil española** (1936-1939) se produjo una nueva salida masiva de españoles que huían de la dictadura franquista porque temían ser detenidos o ejecutados por oponerse al régimen. El **exilio** empujó a miles de personas fuera de su país, principalmente a **Argentina**, **México** y **Francia**. Aproximadamente 500.000 ciudadanos buscaron refugio en el país vecino, muchos de los cuales entraron de forma clandestina cruzando los Pirineos.

La emigración a Europa

Una vez acabada la II Guerra Mundial, los países europeos necesitaban mano de obra. A partir de 1960, más de 1.000.000 de españoles se dirigieron a **Francia**, **Alemania**, **Suiza**, **Bélgica** y el **Reino Unido** en busca de empleo. La emigración española a Europa duró hasta **1973**, año en que comenzó un periodo de crisis económica mundial. A partir de esa fecha, el proceso se invirtió y comenzó el retorno de emigrantes españoles.

> España también fue un país de acogida para exiliados políticos latinoamericanos. Muchos argentinos, uruguayos y chilenos abandonaron sus países entre las décadas de 1970 y 1980, cuando estaban gobernados por dictaduras.

España, un país atractivo

España ha pasado de ser un país emisor de emigrantes a ser **receptor** de un intenso **flujo migratorio**. La mayoría de los inmigrantes provienen de América Latina, Europa y África, en ese orden. La cercanía geográfica con África es un importante factor de elección para los migrantes de ese continente, así como la cercanía cultural y lingüística con Latinoamérica lo es para los hispanoamericanos. Además, muchos de ellos cuentan con un algún antepasado español (o europeo), por lo que les resulta más fácil entrar en España como ciudadanos de la UE. Pero el factor más importante de atracción para la gran mayoría de los inmigrantes es el **desarrollo económico** de España desde su entrada en la UE, en 1986. Otro factor de interés para los inmigrantes es que las prestaciones de salud y educación son gratuitas.

Si bien la mayoría de inmigrantes entran en España de manera legal, muchos se quedan en situación irregular. Otros llegan en embarcaciones precarias (pateras o cayucos) y entran al país de forma ilegal por las costas andaluzas o canarias. ▮▮▮

🌐 *Emigrantes españoles hacia Argentina en la década de los años 60.*

2. ¿Cuál es, según el texto, la causa más frecuente de las migraciones? ¿Coincide con tus conclusiones de la actividad 1?

3. Explica con tus propias palabras el término "hacer las Américas".

4. Todos los países reciben población extranjera. ¿Sabes cuál es el origen mayoritario de los inmigrantes en tu país? Busca en internet y señala en un mapa las cinco nacionalidades más numerosas en tu país. En clase buscarás coincidencias con tus compañeros.

5. ¿Conoces el destino más habitual de los emigrantes de tu país? Investiga en internet hacia qué país se dirigen principalmente, cuáles son las causas y en qué momento histórico fueron más numerosas. Marca en el mapa los cinco principales países. Cuéntaselo a tus compañeros y sorpréndelos con algún dato curioso.

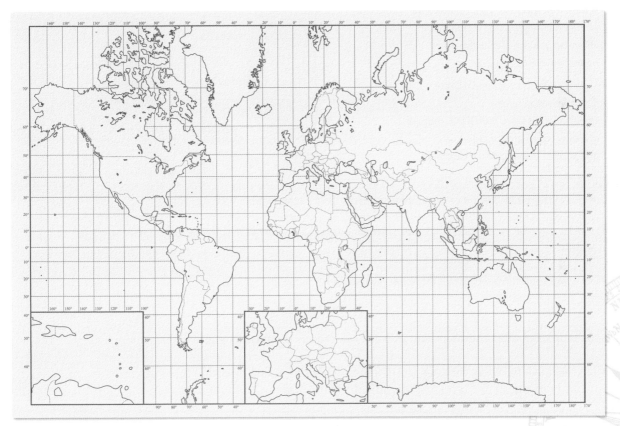

6. Haz el árbol genealógico de tu familia remontándote hasta tus abuelos. Averigua dónde nacieron y dónde han vivido.

7. En grupo, redactad la biografía de un inmigrante; podéis entrevistar a algún familiar vuestro. Incluid el país de origen y de destino, la fecha aproximada en la que emigró, las causas por las que lo hizo y algunas diferencias (socioculturales, demográficas, económicas…) entre el país de origen y el de destino.

8. El texto plantea una estrecha relación migratoria entre España y América Latina. En clase, analizad las causas de esos desplazamientos, sus consecuencias en ambos territorios y el momento histórico en que se producen.

CD 4

1. Después de escuchar la canción de esta unidad, ¿con qué tema de la misma la relacionarías?

2. Completa los huecos del texto con las siguientes palabras:

Disculpe el señor
si le interrumpo, pero en el recibidor
hay un par de .... que
preguntan insistentemente por usted.

No entendí muy bien
sin nada que .... o nada que ....,
pero por lo que parece
tiene usted alguna cosa que les ....

¿Quiere usted que llame a un guardia y que revise
si tienen en regla sus .... de pobre?
¿O mejor les digo, como el señor dice:
«Bien me quieres, bien te quiero,
no me toques el ....?»

Si no manda otra cosa, me retiraré.
Si me necesita, llame.
Que Dios le inspire o que Dios le ampare,
que esos no se han enterado
que .... está muerto y enterrado.

papeles

pobres

pertenece

dinero

vender

Karlos Marx

perder

3. Vuelve a escuchar la canción y revisa tus respuestas de las actividades 1 y 2.

4. ¿Conoces alguna canción que hable sobre el mismo tema? ¿En qué idioma? Explícasela a tus compañeros.

5. Entre toda la clase, pensad en un título para la canción.

1. Después de ver el vídeo de esta unidad, ¿con qué apartado de la unidad lo relacionarías?

2. ¿En qué país ocurren los hechos? ¿De qué nacionalidad son los dos personajes?

3. Vuelve a ver el vídeo y responde:

- ¿Crees que uno de los personajes tiene prejuicios sobre el otro? Justifica tu respuesta con todos los argumentos posibles.

- Uno de los personajes menciona a tres colectivos de inmigrantes. Apúntalos y con tus compañeros determina de qué países o regiones provienen esos tres colectivos.

- ¿Qué ingrediente típico de la cocina española menciona uno de los personajes?

- ¿Piensas que los dos personajes han estado alguna vez en la misma situación? Justifica tu respuesta.

- Transcribe la última frase del vídeo. ¿Crees que el personaje dice la verdad?

4. ¿Piensas que la escena que acabas de ver podría ocurrir también en tu país? ¿De qué nacionalidades serían los personajes? Comparte tu reflexión con el resto de la clase.

TRABAJO

- Trabajo y organización del tiempo
- Jornada laboral, vacaciones y días festivos
- Seguro de desempleo e indemnización

5

"Algo malo debe tener el trabajo porque si no, los ricos lo habrían acaparado". *Mario Moreno "Cantinflas"*

"Cuando más trabajo es cuando no trabajo. Si no trabajara, la vida dejaría de interesarme". *Joan Miró*

"Dichoso es aquel que mantiene una profesión que coincide con su afición". *Bernard Shaw*

"Cuando el trabajo es un placer la vida es bella. Pero cuando nos es impuesto la vida es una esclavitud". *Maxim Gorky*

TRABAJO Y ORGANIZACIÓN DEL TIEMPO

1. ¿Qué es para ti el trabajo? Coméntalo con tu compañero.

Un intercambio de tiempo por dinero

Una fuente de independencia

Una pesadilla

Una vía de liberación

Una forma de aprender

Un deseo

Algo lejano

2. Lee los siguientes conceptos sobre el trabajo y busca su significado en el diccionario. ¿Cuáles de ellos relacionas con España? ¿Cuáles con Hispanoamérica? ¿Por qué? Explícaselo a tu compañero.

ahorro

desempleo

infravalorado

prestación

paro

indemnización

siesta

derechos laborales

3. Lee los textos y comprueba tus respuestas.

La **latitud** es el factor determinante del ritmo con el que los seres humanos viven su vida. En las zonas cercanas al Ecuador, el sol sale alrededor de las 6:00 de la mañana y se pone en torno a las 18:00 de la tarde durante todo el año. Por el contrario, cuanto más nos acercamos a los polos más varía la hora en la que amanece y atardece, lo cual se relaciona con las estaciones del año. Esto provoca diferencias en los **ritmos de vida** de la gente de cada país.

Barcelona.

⊕ *Firma de un acuerdo sindical en el Ministerio de Trabajo de Argentina.*

MARÍA JIMÉNEZ (28 AÑOS)

"Trabajo como productora en una empresa que organiza espectáculos de teatro en Barcelona. Me encanta mi horario de trabajo porque es muy regular. Todos los días empiezo a trabajar a las 9:30. Como nunca tengo tiempo para desayunar me suelo tomar un café en casa. Afortunadamente, aquí en España los trabajadores podemos hacer una pequeña pausa, como a las 11:00 de la mañana, para almorzar en un bar. Suelo tomarme otro café, un cruasán o un bocadillo. A las 14:00 voy a comer a un restaurante cercano y, como tenemos dos horas para comer, aprovecho para comprar alguna cosa que necesite, pero claro, no siempre se puede porque algunas tiendas también cierran entre las 14:00 y las 16:00. Las personas que viven cerca de su trabajo van a su casa, comen y, a veces, echan una siesta. Siempre salgo a las 19:30 y entonces tengo tiempo para ir de tiendas. Los sábados por la mañana suelo hacer la compra semanal y por la noche quedo con mis amigos para cenar y salir de copas. Después de la cena solemos ir de bares hasta las 2:00, que es la hora a la que abren las discotecas".

México D.F.

ALEJANDRA ALTAMIRANO (35 AÑOS)

"Soy funcionaria del gobierno de la Ciudad de México. Aquí los que trabajamos en oficinas empezamos la jornada laboral a las 9:00. Normalmente desayuno fuerte en casa y por eso no me da hambre hasta el mediodía. A las 14:00 voy a comer con uno de mis compañeros a una fonda cercana pues solo tenemos una hora, pero si hay mucho trabajo comemos en media. Salgo de trabajar a las 18:00 y a esa hora voy a casa. Muchas veces me veo con mi novio para cenar algo ligero o para ir a la última función del cine, la de las 22.30 o 23:00 de la noche, porque los cines están vacíos. Los sábados me gusta ir de compras y prefiero ir a los centros comerciales porque cierran tarde y encuentro de todo. Los domingos me levanto tarde, como a las 10:00. Normalmente voy al mercado antes del mediodía para almorzar unos tacos o un caldo de cordero o de pancita de res y también aprovecho para comprar el mandado de la semana".

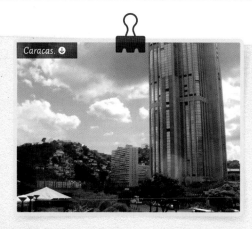

Caracas.

ERNESTO OLAYA (32 AÑOS)

"Nací en Caracas, pero vivo en Colombia. Trabajo en un despacho de arquitectos. Aquí en Bogotá la gente se suele levantar con el alba. Yo empiezo a trabajar a las 7:00 y a media mañana salgo para tomar algo rápido: un sandwich, un jugo o un café. A eso de las 12:00 mis compañeros y yo tenemos una hora para almorzar. Salgo de trabajar a las 17:00 y vuelvo a casa a las 18:00. Los fines de semana normalmente quedo con mis amigos, a las 20:00 vamos a cenar y a eso de las 22:00 vamos de rumba. Normalmente volvemos casa a las 3:00 de la mañana, que es la hora a la que cierran las discotecas. Los fines de semana también los aprovecho para hacer el mercado, ya que se puede ir al súper a cualquier hora del día. En mi país, Venezuela, la gente suele hacer sus actividades cotidianas de forma muy similar, pero normalmente empezamos media hora más tarde que aquí en Colombia".

RECOMENDACIONES

🔊 www.cinterfor.org.uy/public/spanish/region/ampro/cinterfor/dbase/legis/mex/vii.htm Página del Centro Interamericano para el desarrollo del conocimiento en la formación profesional, donde encontraréis información sobre las legislaciones laborales de los países de América Latina.

www.argentina.gov.ar Página de atención a ciudadanos nacionales y extranjeros del Gobierno Argentino.

www.diputados.gob.mx/cesop/doctos/SEGURO%20DESEMPLEO.pdf Página de la Cámara de Diputados en la que se informa sobre el seguro de Desempleo en el Mundo.

www.minproteccionsocial.gov.co Página del Ministerio de Protección Social de Colombia.

www.empleo.gob.mx Portal del Servicio Nacional de Empleo de la Secretaría del Trabajo de México.

www.mtin.es Portal del Ministerio de Trabajo e Inmigración del Gobierno de España.

JORNADA LABORAL, VACACIONES Y DÍAS FESTIVOS

En todos los países la cantidad de horas que una persona trabaja está determinada por la jornada laboral, que puede ser de diferentes tipos: **jornada completa**, **media jornada**, **jornada reducida**, etc. En la mayoría de los países hispanos la jornada laboral es de 40 horas. No obstante, en Chile es de 45 y en Argentina llega a las 48.

En cuanto a los días de **vacaciones** que marca la ley, las cifras son muy diferentes. España cuenta con 22 días de vacaciones y 14 días festivos. En Argentina se descansa un mínimo de dos semanas naturales y hasta un máximo de cinco, dependiendo de los años trabajados en la empresa.

Los días de fiesta obligatorios son once. En Colombia se cuenta un mínimo de 15 días de vacaciones y 18 días festivos obligatorios. En Perú las cifras son 30 y diez respectivamente. Por su parte, México es uno de los países donde la gente descansa menos, pues el primer año de trabajo los trabajadores solo cuentan con seis días de vacaciones; dependiendo de los años trabajados, se puede llegar a tener 22. Los días festivos en este país son ocho.

Cocinero. ⬆

Las pagas

Un indicador del nivel de bienestar de la población de un país es el **salario mínimo interprofesional**, que corresponde al valor mínimo de una hora o de una jornada completa trabajada y que suele ser determinado anualmente por el Estado. En algunos países el salario mínimo determina también si un trabajador tiene derecho a recibir ayudas económicas por parte del Estado. Tal es el caso de Colombia, donde las familias con pocos recursos, es decir, que ganan menos de dos salarios mínimos, tienen derecho a una ayuda para el transporte público. En muchos países se suele cobrar de forma **mensual**, es decir, el último día del mes trabajado, y en otros lugares como México la paga suele ser **quincenal**.

⬆ *Trabajador de un matadero.*

En España, además del salario mínimo mensual, los empleados cuentan con dos **pagas complementarias**, llamadas **extras**, las cuales reciben en los meses de junio y diciembre; cada una corresponde al salario de un mes. En la mayoría de los países hispanoamericanos hay una paga extra que se llama **aguinaldo** y que se reparte en diciembre. En algunos como México y Perú se da una paga complementaria, llamada **reparto de utilidades**, que corresponde a un porcentaje de las ganancias que la empresa ha tenido durante el año. En España estas pagas se llaman **incentivos** y en Argentina, **beneficios**.

SEGURO DE DESEMPLEO E INDEMNIZACIÓN

Para garantizar que los trabajadores que se quedan sin empleo puedan subsistir mientras encuentran uno nuevo, algunos países han implementado un **seguro de desempleo**, también conocido como **paro** en España. En este país el Estado le garantiza al trabajador en paro entre el 70% y el 60% del salario que obtuvo en los seis meses previos a la pérdida del empleo. Para poder obtener este seguro es necesario que el trabajador haya cotizado un mínimo de seis meses en la **Seguridad Social**, que es el sistema que garantiza dicho derecho. La duración de esta prestación depende del tiempo trabajado y no puede ser superior a dos años.

En Argentina, Uruguay, Chile, Ecuador y Venezuela también existe este tipo de seguro, pero las ayudas suelen ser muy pequeñas y no protegen a los trabajadores que no reciben un salario fijo, como los obreros de la construcción, los empleados agrícolas y domésticos y los jóvenes con trabajos temporales. En otros países hispanoamericanos y en España existe la llamada **indemnización**, que recibe el trabajador cuando una empresa da por finalizado su contrato de forma injustificada. En estos casos, los trabajadores reciben una cantidad fijada por el Estado y a veces un porcentaje extra por cada año trabajado; con esto se espera que el trabajador pueda mantenerse hasta encontrar otro trabajo. Bolivia, Colombia, Costa Rica, México y República Dominicana son algunos países que también tienen este tipo de prestación. ‖‖

RECOMENDACIONES

💬 *La ciudad de los prodigios* (2006), Eduardo Mendoza
Poemas de la oficina (2000), Mario Benedetti

🎬 *El método* (2005), de Marcelo Piñeyro, Argentina
La piel quemada (1967), de Josep Maria i Forn, España
Smooking room (2002), de Julio Wallowits y Roger Gual, España
Crimen ferpecto (2004), de Álex de la Iglesia, España
Casual day (2007), de Max Lemcke, España

4. Marca si las siguientes afirmaciones se refieren a los entrevistados de Bogotá (B), Ciudad de México (M) o Barcelona (C).

C No desayuna en casa.   M Sale a comer a las 14:00.   M Hace la compra los domingos.

B Tiene un horario de 40 horas semanales.   C Entra muy tarde a la discoteca.

¿Hay alguna costumbre que te haya sorprendido o que te parezca curiosa?

las siestas

5. Completa el siguiente cuadro con la información del texto y llena el último espacio con la información de tu país.

JORNADA LABORAL

Chile: _45_
España: _40_
Argentina: _48_
Mi país: _____

VACACIONES

Argentina: _2 semanas_
Colombia: _15-18 días_
Perú: _30 y 10_
México: _6-20 días_
Mi país: _____

PAGAS

México: _reparto de utilidades_
Perú: _"_
España: _incentivos extra_
Argentina: _beneficios_
Mi país: _bonus_

Az 6. Responde las siguientes preguntas de acuerdo con el texto.

¿Qué diferencia hay entre el almuerzo español, el colombiano y el mexicano?
¿Qué verbo utilizan en Colombia, México y España para expresar "adquirir lo necesario para la comida"?
¿Qué palabras se incluyen en el texto para nombrar las diferentes partes del día? Ordénalas de forma cronológica.

7. Observa el siguiente esquema y busca en el texto palabras que puedas incluir en él.

verbo	sustantivo (-s)	adjetivo
emplear	empleo	empleado, -a
desemplear	desempleo	desempleado -a
pagar	paga	pagado
cotizar	cotización	cotizanciado
prestar	prestación	prestado
indemnizar	indemnización	indemnizado
sumar	suma	sumado

Completa el cuadro con ayuda de un compañero.

8. ¿Cuál es el país de habla hispana que más te interesa? Imagina que quieres ir a vivir y trabajar allí. Busca información sobre la organización laboral del país y compártela con un compañero. ¿Qué diferencias hay entre los países que habéis elegido?

CD 5,6

1. Escucha los diálogos y responde las siguientes preguntas:

- ¿A qué se dedican las personas que están charlando?
- ¿Dónde tienen lugar las conversaciones?
- ¿Qué actitud tienen estas personas respecto a su trabajo?

2. Vuelve a escuchar los diálogos y marca en el cuadro qué personas mencionan los siguientes temas.

	Diálogo 1		Diálogo 2		
	Sandra	**Judith**	**Mateo**	**María**	**Clara**
1. Recibe un buen salario					
2. Le pagan las horas extra					
3. Tiene que trabajar fuera de su horario de trabajo					
4. Le encanta su trabajo					
5. Debe asistir a encuentros con otros colegas de la empresa					
6. Tiene poco contacto con colegas					
7. No le gustan sus periodos de vacaciones					
8. Trabaja por su cuenta					

1. Observa el primer minuto de este vídeo sin sonido y responde las siguientes preguntas:

- ¿En qué país crees que se desarrolla la película?
- ¿En qué sitio se encuentran los personajes?
- ¿Qué relación crees que hay entre estas personas?
- ¿Cómo es el ambiente?
- ¿Sobre qué crees que hablan?

2. Vuelve a ver el fragmento anterior, esta vez con sonido, y ordena los siguientes hechos:

Reina explica cómo Rico montó el bar con el dinero de su indemnización.

Rico justifica la firma del convenio.

Santa expone que el cierre del astillero fue para construir hoteles.

Santa dice que hicieron algo que perjudica el futuro de sus hijos.

Santa explica lo que puede pasar con la indemnización de los trabajadores.

Reina se queja de que él paga a la Seguridad Social para mantener a otros que no trabajan.

Santa cuenta los detalles de la huelga de los trabajadores del astillero.

3. En parejas, responded las siguientes preguntas. Justificad vuestras respuestas:

- ¿Qué expectativas laborales crees que tienen los personajes del vídeo? ¿Por qué?
- ¿Qué tipo de trabajos tienen más futuro en tu país? ¿Y cuáles menos?
- ¿Qué creéis que sería necesario hacer para mejorar la tasa de empleo en vuestro país?

EDUCACIÓN

6

- Universidad en España
- Diversidad en el sistema escolar

"El hombre no llega a ser hombre más que por la educación. No es más que lo que la educación hace de él (…) Por eso la educación es el problema mayor y más difícil que puede planteársele al hombre".

Immanuel Kant, Reflexiones sobre la educación

UNIVERSIDAD EN ESPAÑA

1. ¿Cómo es la universidad en tu país? Intenta dar datos sobre los siguientes apartados:

| La universidad más antigua | Modelo de universidad | ¿Cómo se entra en la universidad? |

| ¿Todas las universidades son iguales? | Ciudades estudiantiles | Calendario universitario |

| Estudiar en otra ciudad | Notas y exámenes | Tipos de estudios |

La universidad

La palabra universidad viene del latín *universitas*. Sugiere, pues, la idea de apertura, de lugar **universal**, que abre la mente a nuevas ideas. ¿Es eso la universidad? A lo largo de la historia ha habido distintos modelos de institución universitaria. En el modelo francés es el lugar en el que el Estado forma a los ciudadanos que después trabajarán para él. Es probablemente el modelo que más ha influido en la universidad española.

La **Universidad de Salamanca** es la que tiene más historia. Existe desde **1218** y fue la primera de Europa que tuvo el título de Universidad. Teólogos de esta institución crearon el **Derecho Internacional**, a raíz de las discusiones que hubo después de la llegada de Colón a América sobre si los indígenas americanos tenían alma y sobre si era legítimo ir a las tierras de otras personas y ocuparlas. Por sus clases han pasado profesores como **Fray Luis de León** o **Unamuno**, dos personajes muy conocidos de la historia del pensamiento español.

Actualmente, Salamanca sigue siendo conocida en Europa por ser una ciudad estudiantil, al igual que Granada, otra ciudad pequeña cuyos habitantes son, en su mayoría, universitarios. Ambas suelen ser las que reciben más estudiantes extranjeros, además de Barcelona, Madrid, Santiago de Compostela, Segovia y Pamplona.

Acceso a la universidad

La mayoría de españoles accede a la universidad después de dos años de **bachillerato**, a los **17-18 años**. Pero, ¿pueden todos estudiar lo que les gusta? No siempre. Las plazas de cada carrera son limitadas y, para seleccionar a los estudiantes, se realiza un examen llamado **selectividad**, que suele durar tres días. Después de este examen, cada estudiante obtiene una nota media entre la nota de la selectividad y la del bachillerato; esta nota determina a qué estudios puede acceder. Cada universidad empieza eligiendo a los candidatos que tienen una nota más alta, y es así como llenan las plazas que pueden ofrecer. Por lo tanto, resulta más difícil acceder a las carreras más solicitadas, que suelen ser Medicina, Comunicación Audiovisual e Ingeniería (aunque las preferencias van variando según los años).

⊕ *La Universidad de Salamanca, fundada en 1218, es la más antigua de España y una de las más antiguas del mundo.*

UNIVERSIDAD EN ESPAÑA

Se suele evaluar a los estudiantes mediante exámenes (casi siempre **escritos**), trabajos escritos y **presentaciones orales**. Las notas van del 0 al 10: el alumno que obtiene entre 0 y 4'9, suspende; a partir del 5, el alumno aprueba; entre 6 y 6'9 tiene un bien; entre 7 y 8'5, un notable; entre 8'5 y 9'5, un excelente o sobresaliente; y si supera esa nota, una **matrícula de honor**. Vale la pena sacar una matrícula, porque el alumno que lo logra tiene un descuento en el precio de la matrícula del año siguiente.

Los principales programas de movilidad para los estudiantes españoles son los programas **Séneca** y **Erasmus**. El primero ofrece becas para que los estudiantes pasen unos meses o un año en otra universidad de España. El segundo da becas para realizar parte de los estudios en un país europeo, la mayoría de las veces, o en países de fuera de Europa, más raramente. ▌

En España existen universidades privadas como la de Deusto, fundada por la Compañía de Jesús.

La mayoría de las universidades españolas son **públicas**, es decir, están financiadas por el Estado y los estudiantes solo pagan una parte de sus estudios. En las universidades **privadas**, en cambio, los estudiantes pagan la totalidad de los precios de matrícula. Para estudiar en las privadas también es necesario haber aprobado la selectividad, aunque algunos centros prestigiosos realizan un examen propio para seleccionar a los estudiantes. En casi todas las universidades la enseñanza es presencial, es decir, se requiere la asistencia a clase, pero existe una, la **UNED** (Universidad Nacional de Educación a Distancia), que ofrece la posibilidad de estudiar desde cualquier lugar del mundo.

Carreras y sistemas de estudios

Cuando una persona realiza estudios en la universidad, se dice que está estudiando una carrera. Antes de la reforma de Bolonia, las carreras que duraban tres años se llamaban **diplomaturas**; y las que duraban cuatro o cinco, se llamaban **licenciaturas**. Ahora las carreras se llaman **grados**, duran **cuatro años** y están agrupadas en distintas ramas de conocimiento: artes y humanidades, ciencias sociales y jurídicas, ciencias, ciencias de la salud e ingeniería y arquitectura. Para los que desean continuar estudiando, existe la posibilidad de hacer un **máster** (entre uno y dos años) y luego un **doctorado** (tres años más).

El sistema de estudios varía en función de las universidades. En la mayoría de ellas el curso se divide en dos cuatrimestres y se evalúa a los estudiantes mediante exámenes que se hacen al final de cada uno (en **febrero** y en **junio**). Los estudiantes tienen la posibilidad de hacer exámenes en septiembre, si no los han aprobado antes o han decidido no presentarse durante el curso.

Aspecto de un aula en la Universidad Pompeu Fabra de Barcelona.

RECOMENDACIONES

⌘ ¿Sabías que la AECI (Agencia Española de Cooperación Internacional) ofrece becas para extranjeros que quieren realizar sus estudios en España? También puedes informarte en el MEC (Ministerio de Educación y Ciencia).

🔊 Si te interesa saber qué carreras se pueden estudiar en España consulta estas páginas de internet: www.mec.es y www.crue.org

2. Después de leer el texto, di qué apartados de la pregunta 1 se corresponden con cada uno de sus párrafos.

3. En parejas, anotad tres diferencias que haya entre el sistema universitario español y el de vuestro país. ¿Qué es lo que más os gusta del sistema universitario español? ¿Qué lo que menos? ¿Por qué?

Az 4. Encuentra en el texto estas palabras, intenta inferir su significado y, a continuación, tradúcelas a tu lengua. ¿Todas tienen un equivalente en tu lengua? Redacta una frase con cada una de ellas.

selectividad   carrera   exámenes   notas   becas   doctorado

máster   cuatrimestre   universidad   suspender   aprobar

5. Ve a la página del Ministerio de Educación y Ciencia (www.mec.es) y busca qué carreras se pueden estudiar en España. ¿Cuáles existen en tu país y cuáles no? ¿Qué carreras crees que corresponden a otras que en tu país reciben otro nombre?

6. Imagina que vas a estudiar a una universidad española. Elige qué carrera querrías estudiar y piensa en dos ciudades a las que te gustaría ir. Después, ve a la página web de las universidades de esas ciudades que ofrezcan la carrera que te gusta. Elige la universidad que ofrezca más información y servicios para los estudiantes extranjeros. Después, explica a tus compañeros qué tenía esa universidad que no tuviera la otra, y por qué te ha gustado más.

7. Entre toda la clase, escribid un texto parecido al que habéis leído. Tendréis que dar información sobre la universidad en vuestro país. Pensad que el texto estaría dirigido a españoles y que, por lo tanto, debéis intentar adaptaros a sus conocimientos. Entre todos, debatid sobre los temas que os gustaría tratar. Eso os ayudará a definir los apartados del texto, a los que podéis poner un título. Finalmente, dividid la clase en parejas o grupos de tres. Cada grupo redactará uno de los apartados del texto.

8. En algunos países, cada universidad selecciona a los estudiantes haciéndoles una entrevista; en otros, hay que hacer exámenes especiales, para los que los estudiantes tienen que prepararse durante un año, después del bachillerato. ¿Cuál crees que es el sistema más justo de acceso a la universidad? ¿Cómo se puede saber qué estudiantes merecen más la oportunidad de estudiar? ¿Cuál debería ser el criterio? En grupos de tres, pensad una propuesta y exponedla ante el resto de la clase. Al final, se votará la propuesta que parezca más justa.

DIVERSIDAD EN EL SISTEMA ESCOLAR

1. Responde estas preguntas sobre el sistema escolar de tu país:

a. ¿Qué parte de la educación es obligatoria? ¿Cómo se llama esa etapa (o etapas)?

b. ¿La educación es pública?

c. ¿Qué vacaciones tienen los niños en las escuelas de tu país?

d. ¿Crees que la gente de tu país está contenta con el sistema escolar? ¿Qué piensas tú? Cita dos cosas que crees que deberían cambiar y explica por qué.

e. ¿Se hablan varias lenguas? ¿Cómo se aprenden en la escuela? ¿Crees que es posible recibir una educación en dos lenguas?

El sistema escolar en tres países distintos

ESPAÑA

Tipo de educación: hay escuelas **públicas**, **privadas** y **concertadas**. Las primeras están financiadas por el Estado, las segundas no y las terceras están parcialmente financiadas.

Etapas: la educación es **obligatoria** para todos los niños desde los 6 hasta los 16 años. Para los niños pequeños de 0 a 3 años existen guarderías; para los niños de entre 3 y 6 años, y aunque la educación en esta etapa no es obligatoria, existe una gran oferta pública y privada. Esta etapa se llama **Infantil** o **Preescolar**. La etapa de educación obligatoria se divide en dos ciclos: la **Educación Primaria**, que va desde los 6 hasta los 12 años y que se estudia en los centros CEIP (Centros de Educación Infantil y Primaria), y la **Educación Secundaria Obligatoria** (ESO), que va desde los 12 hasta los 16 años y que en la enseñanza pública se estudia en los IES (Institutos de Educación Secundaria). Después, quienes lo desean pueden cursar el **Bachillerato** (dos años). También existe la opción de estudiar **Formación Profesional**, que ofrece estudios más orientados a la vida laboral. Se llaman **Módulos**, tienen una duración de dos años cada uno y pueden ser de **Grado Medio** (se accede a ellos después de la ESO) o de **Grado Superior** (se accede a ellos después del Bachillerato).

Horarios: pueden variar según la comunidad autónoma, pero por lo general los alumnos de primaria van a clase todos los días de la semana (de lunes a viernes) desde las 9:00 hasta la 13:00 y desde las 15:00 hasta las 17:00 (con una pausa de dos horas para comer). Además, por la mañana, suele haber media hora de descanso en la que los alumnos van al **patio** (y por eso se la llama "hora del patio" o "del recreo"). Los alumnos de secundaria tienen horarios más irregulares, según las asignaturas que hayan elegido, y pueden tener alguna tarde libre. En Secundaria los alumnos tienen 30 horas lectivas a la semana.

Días festivos y vacaciones: hay **175 días lectivos obligatorios**. Las vacaciones escolares en España son en verano, del 22 de junio al 15 de septiembre; en Navidad, del 22 de diciembre al 8 de enero; y en Semana Santa (que suele ser en marzo o en abril, aunque las fechas varían en función de la primera luna llena de primavera). Los días festivos son distintos en cada comunidad autónoma y en cada localidad, aunque algunas fiestas son comunes en todo el Estado.

Algunas curiosidades: en algunas comunidades autónomas los libros de texto son gratuitos y en otras no; los padres tienen que comprarlos. En estas, las **Asociaciones de Padres** de las escuelas suelen organizar una compra colectiva para que los alumnos puedan aprovechar los libros de un año a otro. Las notas van del 1 al 10: de 1 a 4'9 es suspenso; de 5 a 5'9 es aprobado; de 6 a 8'9, notable; y de 9 a 10, excelente. Si un profesor tiene que comunicar algo a los padres de un alumno, le escribe una nota en su agenda. Para copiar en los exámenes los alumnos preparan las llamadas **chuletas**, y cuando no van a clase, se dice que hacen **pellas** o **novillos**.

En España y en México muchas escuelas ofrecen guardería y educación Infantil o Jardín de Niños hasta la edad de 6 años.

MÉXICO

Tipo de educación: la enseñanza puede ser pública o privada. En general, la **Educación Primaria** y la **Secundaria** tienen más prestigio en las escuelas privadas.

Etapas: hasta los 4 años se puede ir a la guardería. Después, los niños de entre 4 y 6 años pueden ir al **Jardín de Niños**, al que los mexicanos suelen llamar **kinder**. La mayoría de estos centros son privados, por lo que muchos mexicanos de esas edades suelen quedarse con su familia. La Educación Primaria va desde los 6 a los 12 años y la Secundaria, desde los 12 a los 15. El bachillerato, que se conoce con el nombre de **Preparatoria**, lo realizan alumnos de entre 15 y 18 años.

Horarios: tanto en Primaria como en Secundaria hay dos turnos, uno de mañana y otro de tarde. En primaria, el turno matutino es de 8:00 a 12:30, y el vespertino de 14:00 a 18:30. En secundaria, el de mañana suele ir de 7:00 a 14:00, y el de tarde, de 14:00 a 21:00.

Días festivos y vacaciones: en general, todas las escuelas tienen vacaciones en verano (de principios de julio a finales de agosto), en invierno (del 21 de diciembre al 6 de enero) y en Semana Santa (los alumnos de Primaria tienen más días de fiesta que los de Secundaria).

⊕ Escuela de Primaria y de Secundaria en México.

⊕ La etapa Polimodal es imprescindible para acceder a la universidad en Argentina.

Algunas curiosidades: aunque existen libros de texto gratuitos, en muchas escuelas se complementan con otros, que los alumnos tienen que comprar. Las notas van del 1 al 10 y hay que sacar un 6, como mínimo, para poder aprobar. El papel que algunos alumnos utilizan para copiar en los exámenes se llama **acordeón**, porque se dobla como ese instrumento. Cuando los alumnos faltan a clase se dice que se **van de pinta**.

ARGENTINA

Tipo de educación: aunque existen escuelas privadas, la mayoría son públicas y financiadas por el Estado. Eso significa que los alumnos no pagan nada desde la primaria hasta que acceden a la universidad. Además, la educación en las escuelas públicas es **laica**, es decir, en ellas no se enseña religión. De hecho, la educación en este país se define como **pública**, **gratuita** y **laica**.

Etapas: la educación inicial está compuesta por los **Jardines Maternales** para los niños de menos de 3 años, y los **Jardines de Infantes**, para niños de entre 3 y 5 años. El último año del Jardín de Infantes es obligatorio. La **Educación General Básica** es obligatoria, va de los 6 a los 15 años y está compuesta por varios ciclos. Después, en instituciones específicas puede cursarse lo que se llama **Educación Polimodal**, que dura tres años como mínimo. Tener aprobada esta etapa es el requisito básico para poder ir a la universidad.

Horarios: el horario es **intensivo**, y se puede elegir entre dos turnos, el de mañana (que suele ir de 8:00 u 8.30 a 13:00 o 13.30h) y el de tarde (que va de 14:00 a 18:00).

Días festivos y vacaciones: Argentina se encuentra en el hemisferio sur, y por eso las vacaciones escolares son distintas de las que tienen los alumnos españoles o mexicanos. Hay dos semanas de vacaciones de invierno en julio y las vacaciones de verano son entre diciembre y marzo.

Algunas curiosidades: A principio de curso, se organiza en muchas escuelas una feria de libros en la que los padres pueden intercambiar los libros de texto para no tener que comprarlos. Además, muchos alumnos, especialmente en Secundaria, pueden usar los libros de la biblioteca. Las notas van del 1 al 10 y no se aprueba con menos de un 6. La chuleta española se llama en Argentina **machete**, y faltar a clase es **hacerse la rata** o **ratearse**.

Apuestas por la educación bilingüe

Una educación intercultural

El conocimiento de una lengua es también un derecho y por eso uno de los retos de la educación es integrar todas las lenguas que se hablan en una comunidad. En algunos lugares en los que se habla más de una lengua se ha considerado necesario educar a los niños en todas ellas para que sean ciudadanos **plurilingües**. Es una preocupación que va más allá de lo meramente lingüístico, es cultural.

¿SABÍAS QUE...

...**la Constitución de Nicaragua** fue la primera de América Latina en recoger el derecho de sus ciudadanos a recibir educación en lengua materna?

...**el Estatuto de Autonomía de Cataluña** dice que no se puede separar a los alumnos ni en grupos ni en centros distintos según la lengua materna que tengan?

⊙ Las ikastolas son escuelas en las que la educación se realiza en lengua euskera.

DIVERSIDAD EN EL SISTEMA ESCOLAR

⊙ Excursión de una guardería en la ciudad de Barcelona el día de Sant Jordi.

Tantos modelos como realidades distintas

Algunos de los países de habla hispana en los que conviven dos lenguas han puesto en marcha sistemas educativos cuyo objetivo es garantizar la educación en esos dos idiomas. Sin embargo, en cada lugar se ha encontrado una solución específica.

Uno de los modelos es el que se ofrece en el País Vasco (España). Aquí existen tres modelos lingüísiticos: en las escuelas que ofrecen el **modelo A**, los alumnos reciben toda la educación en castellano, excepto en la asignatura de lengua vasca (euskera); en el **modelo D** sucede a la inversa, estudian todas las materias en vasco, excepto la asignatura de lengua española; y en el **modelo B** algunas asignaturas se imparten en castellano y otras en euskera.

Este modelo permite a los padres elegir la lengua en la que quieren que estudien sus hijos, pero según la opinión de algunas personas, no contribuye a la cohesión de la sociedad vasca porque divide a los ciudadanos desde niños.

RECOMENDACIONES

Ministerios de educación:
Argentina: www.me.gov.ar
España: www.educacion.es
México: www.sep.gob.mx

En la página www.eibsur.org (Red de Educación Intercultural Bilingüe Sur) puedes encontrar información sobre algunos proyectos y experiencias de educación bilingüe en América Latina.

Manolito gafotas, de Elvira Lindo
La lengua de las mariposas, de Manuel Rivas
Las batallas en el desierto, de José Emilio Pacheco
De todos ellos existe una versión cinematográfica.

DIVERSIDAD EN EL SISTEMA ESCOLAR

En Cataluña (España), la enseñanza en las escuelas primarias y secundarias es en catalán, aunque existe una asignatura de lengua castellana en todos los cursos. Este modelo de educación bilingüe responde al concepto de **discriminación positiva**. La enseñanza en catalán fue prohibida durante la dictadura franquista (1939-75). A finales de los años 80 se consideró que la única manera de que los catalanes aprendieran su lengua (que habían continuado hablando en sus casas, pero que muchos no sabían escribir) era que la enseñanza fuera en catalán.

Este modelo ha recibido críticas de los que creen que debería ser posible que un niño fuera educado en español. Aunque se propuso crear un modelo como el vasco, se rechazó esa opción al considerar que podría dividir a la sociedad catalana entre **catalano** y **castellanoparlantes**.

En Paraguay, el objetivo del modelo de educación es que la población sea realmente **bilingüe**, es decir que domine tanto el español como el guaraní. Actualmente, la mayoría de paraguayos lo son, pero el guaraní predomina en el campo mientras que en las ciudades se habla, sobre todo, español. Por eso, y aproximadamente desde los años 90, se ha implantado el llamado **Modelo de Mantenimiento** según el cual en los primeros años de escuela cada alumno estudia en su lengua materna (para algunos, guaraní, y para otros, español) y más adelante incorpora, poco a poco, el estudio de la segunda. Se ofrecen, pues, dos tipos de estudios: uno para los hispanohablantes, que reciben más horas de enseñanza en español, y otro para los hablantes de guaraní, que estudian con más intensidad su lengua materna. Sin embargo, en los cursos superiores ya solo hay un modelo, común a todos los paraguayos: el bilingüe.

Aunque ese modelo, a largo plazo, podría garantizar que todos los paraguayos tuvieran un buen dominio de los dos idiomas oficiales, de momento no en todos los centros se ofrecen las dos opciones de estudios, por falta de materiales y de profesorado preparado. |||

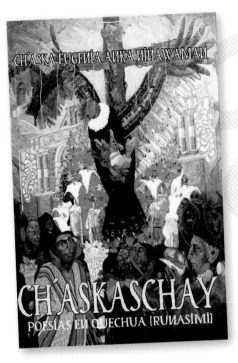

ⓘ *Muchos países latinoamericanos han recuperado las lenguas indígenas, como el quechua, en la educación.*

LA EDUCACIÓN INTERCULTURAL BILINGÜE EN AMÉRICA LATINA

Desde principios de los años 80, en América Latina se empezó a hablar de la necesidad de una Educación Intercultural Bilingüe (EIB) para luchar contra la situación de monolingüismo predominante. La realidad es que hay por lo menos 40 millones de personas que tienen una lengua materna distinta del castellano y que viven, cada vez más, en las grandes ciudades. Algunas investigaciones parecen demostrar que es positivo empezar estudiando en la propia lengua materna ya que eso facilita, después, el aprendizaje de la segunda.

Desde 1980 se vienen llevando a cabo reformas educativas y en 17 países de América Latina se han realizado proyectos relacionados con la educación bilingüe. Esos proyectos no son siempre iniciativa de los ministerios de educación, sino también de ONGs o incluso de parroquias. Aunque suelen estar orientados a que los indígenas aprendan sus lenguas, también existen iniciativas para que los castellanoparlantes aprendan otras lenguas habladas en su país. Por ejemplo, en varias escuelas de La Paz los bolivianos aprenden quechua y aimara, a pesar de que no son sus lenguas maternas. Actualmente, los gobiernos tienden a considerar que es positivo que todos los ciudadanos conozcan las culturas y lenguas del país.

ⓘ *Escuela en el Paraguay, donde las lenguas indígenas como el guaraní están presentes en la educación.*

2. ¿Qué sistema escolar se parece más al de tu país? ¿Por qué? ¿Entre el sistema escolar español, mexicano y argentino, qué diferencias y similitudes hay? Rellena este cuadro:

País	Años de escolarización obligatoria	Número de horas de clase diarias / semanales	Periodos de vacaciones	Sistema de notas	Tipos de escuelas
España	6 - 16	30 semanales	veranos	1-10	publicas, privadas, concertadas
México	6 - 18	3'12 diarias	veranos	1 - 10	publicas, privadas
Argentina	35 - 15	5 diarias	diciembre - marzo	1-10	publicas
Tu país	5 - 16	30 semanales	veranos	Letras	publicas, privadas

3. Elige algo que te guste y algo que no de uno de los sistemas escolares. Explica por qué.

4. Señala cuáles son las ventajas e inconvenientes de los modelos de educación bilingüe de los que se habla en el texto. Después, comenta cuál de esos modelos te parece mejor y justifícalo.

Az 5. Busca en el texto la palabra usada en España, en México y en Argentina para estos conceptos:

- Centro educativo para los menores de 3 años · infantil / guaderia · preescolar
- Centro educativo para los niños de entre 4 y 6 años · jardin de niños
- Educación opcional que se recibe antes del acceso a la universidad · educacion polimodal / bachillerato / preparatoria
- Faltar a clase · hacer pellas / novillos / van de pinta / hacerse la rata
- Escribir cosas en un papel para copiar en un examen · chuletas / acordeon / machete

6. ¿Qué palabras se usan en el texto para referirse a los hablantes de un idioma? Algunas de ellas son palabras compuestas. Pero no existe una forma compuesta para referirse a los hablantes de todos los idiomas. En algunos casos hay que usar la expresión "hablante de + la lengua". Las siguientes palabras se refieren a hablantes de algunas lenguas. ¿De qué lenguas se trata?

portugues · ingles · frances · aleman · italiano

| lusoparlante | anglohablante | francófono | germanohablante | italoparlante |

7. Haced grupos de tres y buscad información sobre el sistema escolar de otros países hispanohablantes (la encontraréis en los ministerios de educación de esos países; también podéis utilizar esta página web: www.oei.es/quipu). Presentad a vuestros compañeros lo encontrado.

8. Una persona de tu país va ir a vivir a España y te envía un email preguntándote cómo es el sistema escolar allí. Responde a su correo presentándole el sistema de tu país.

9. Esta es una lista de los beneficios que puede tener una educación bilingüe. En grupos de cuatro, decidid cuál os parece el más importante y por qué. Discutidlo, y luego explicadlo.

- **a)** Contribuye a un mejor rendimiento escolar.
- **b)** Prepara para la vida profesional.
- **c)** Es un modo de luchar contra la marginación social, ya que da oportunidades a los ciudadanos y los hace más tolerantes.
- **d)** Hace que los alumnos sean más participativos, ya que están más motivados.
- **e)** Contribuye a un mayor desarrollo cognitivo.
- **f)** Las lenguas (tanto la materna como la segunda) se aprenden mejor.
- **g)** Es positivo para el país, ya que contribuye a que haya una mayor organización social y política.
- **h)** Es un modo de proteger las lenguas minoritarias e impedir que se extingan.

CD 7,8

1. Lee las siguientes preguntas y a continuación escucha las entrevistas para responderlas.

• ¿De dónde son y en qué país han estudiado?

• Escribe el nombre de los programas educativos o becas que mencionan los entrevistados.

• Escucha lo que dicen sobre la universidad en España. ¿Coinciden en algo?

2. ¿Qué es lo que más te llama la atención de lo que dicen los entrevistados?

1. Vais a ver un fragmento de *Cobardes,* una película española de 2008 que aborda un problema relacionado con la escuela. En grupos de cuatro, mirad el cartel de la película y pensad cuál podría ser ese problema. Después, ponedlo en común con el resto de la clase.

2. Visionad el vídeo sin sonido. ¿De qué trata? ¿Qué personajes aparecen? ¿Cuál es el problema?

3. Estas son algunas de las frases que aparecen en el fragmento que acabáis de ver y que luego escucharéis. ¿Quién creéis que podría decirlas o escribirlas, y a qué pueden hacer referencia?

cobardes
una película de jose corbacho y juan cruz

eduardo garé / eduardo espinilla / elvira mínguez /
antonio de la torre / lluís homar / paz padilla /
frank crudele / blanca apilánez / ariadna gaya /
javier bódalo / gorka zubeldia / albert boulins /

www.cobardeslapelicula.com

«Lo siento zanahoria, ha sido sin querer».

«No acabamos de entender qué le está pasando a su hijo. En las últimas semanas han bajado las calificaciones, ya lo saben; y también hemos notado que le cuesta mucho concentrarse».

«No me gusta ir al colegio».

«Chivata».

«No deberías dejar que te traten así».

«Guille es un cabrón y te va a estar haciendo la vida imposible hasta que acabes el insti».

«Esta tarde podríamos ir a grabar un vídeo, y así lo probamos».

4. Ahora mirad el fragmento de nuevo, esta vez con voz. Comprobad quién dice las frases.

5. En grupos de cuatro: ¿Cuáles creéis que pueden ser las causas de este problema y qué soluciones se os ocurren?

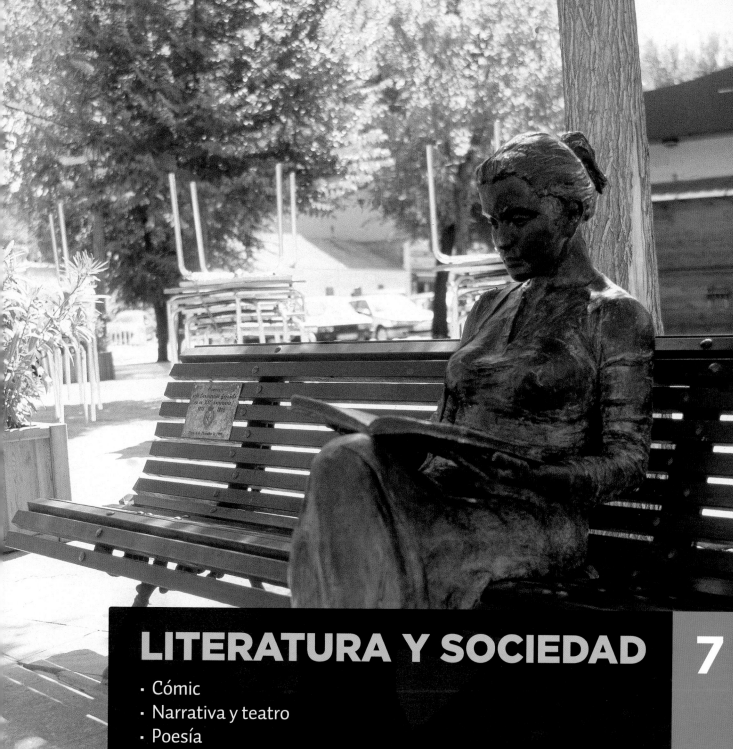

LITERATURA Y SOCIEDAD

· Cómic
· Narrativa y teatro
· Poesía
· Prensa

"Letras / seguid cayendo / como precisa lluvia / en mi camino. / Letras de todo / lo que vive / y muere, / letras de luz, de luna, / de silencio, / agua, / os amo, / y en vosotras / recojo / no solo el pensamiento / y el combate, / sino vuestros vestidos, / sentidos / y sonidos"

Pablo Neruda, fragmento de Oda a la tipografía

CÓMIC

1. ¿Te gusta leer cómics?

2. ¿Conoces alguno de los personajes que ilustran este texto? ¿Cuáles?

¿Cómics, historietas o monitos?

La palabra **cómic** para denominar las tiras de historias dibujadas es una palabra bastante reciente en español. Es un anglicismo, una palabra que proviene del inglés. Historietas es el nombre que reciben estas tiras en España y en muchos países de Hispanoamérica. En México y Chile se las conoce con el nombre de **monos** o **monitos**, y a los dibujantes se les llama moneros.

En el siglo pasado, las historietas empezaron publicándose en los periódicos, pero, debido al éxito que tuvieron, surgieron revistas que solo publicaban este tipo de materiales. Por ejemplo, en España, en 1917, se empezó a publicar **TBO**, la revista más famosa de este género. TBO se publicó semanalmente durante ochenta años con la única interrupción de la Guerra Civil. Fue tal el éxito y la popularidad de esta publicación que en España las revistas de historietas pasaron a llamarse **tebeos**. Algunos de los personajes de esta revista, como **La familia Ulises** (las cómicas aventuras de una familia media española) forman parte de la cultura de muchos españoles. En Argentina, la revista más conocida fue **Hora Cero**, donde se publicaba la historieta de ciencia ficción **El Eternauta** (las aventuras de un grupo de supervivientes de una invasión extraterrestre). En México, la revista más importante fue **La Familia Burrón** y en Chile, **Mampato**.

Los personajes de cómic

CONDORITO, CHILE

Condorito es un hombre-cóndor (el ave nacional de Chile), protagonista de historietas y de una revista de monitos chilena que lleva su nombre. Su creador es el dibujante Pepo. El personaje es tan popular en el país que hasta le han dedicado algunos monumentos.

MORTADELO Y FILEMÓN, ESPAÑA

Es una pareja de detectives, una caricatura de Sherlock Holmes y su ayudante Watson, protagonistas de numerosas aventuras en las que Mortadelo cambia a menudo de disfraz. Su autor es Ibáñez, uno de los más importantes dibujantes españoles. Recientemente, Mortadelo y Filemón han inspirado dos películas de gran éxito comercial.

MAFALDA, ARGENTINA

Una famosísima niña argentina, creada por Quino, preocupada por la humanidad, amante de la paz, crítica y preguntona. Sus historias han sido traducidas a más de 30 idiomas. Tiene una plaza en Buenos Aires.

MEMÍN PINGUÍN, MÉXICO

Este pequeño niño mexicano de ojos enormes, despistado, bueno y travieso, es el protagonista de uno de los monitos más famosos de México. Su creadora es Yolanda Vargas Dulché y su dibujante, Sixto Valencia Burgos. Aunque sus aventuras han sido objeto de polémica por ser políticamente incorrectas (el niño es negro y se hacen bromas sobre su color), los mexicanos lo consideran parte de su patrimonio cultural.

RECOMENDACIONES

🔊 El museo de la caricatura en Ciudad de México: http://museocaricatura.webcindario.com
Humor gráfico argentino: www.humor-argentino.com

🔊 Forges: www.forges.com
Alberto Montt (Chile): www.dosisdiarias.com
Quino: www.quino.com.ar
Rius: www.rius.com.mx

📺 *La gran aventura de Mortadelo y Filemón* (2003), de Javier Fesser / *Mortadelo y Filemón. Misión: Salvar la Tierra* (2008), de Miguel Bardem.

CURIOSIDADES

MANGA

Al cómic en español también le ha llegado la fiebre japonesa del manga. Al principio se trataba de meras traducciones, pero a finales de la década de los 90 empezaron a surgir en España dibujantes y revistas de manga autóctonas.

Los dibujantes

RIUS

(ZAMORA, MICHOACÁN, MÉXICO, 1934) Mexicano, autor de la serie y revista *Los agachados* (primero se llamó *Los supermachos*), en la que se satirizan las actitudes de los ciudadanos que siempre se quejan de todo pero que no hacen nada para cambiar las cosas. Es también autor de más de 20 álbumes de clara intención didáctica e ideológica en los que repasa gráficamente, desde una perspectiva de izquierdas y radical, los principales acontecimientos sociales universales: *La Revolucioncita mexicana, Filosofía para principiantes, La basura que comemos, La revolución femenina de las mujeres,* etc.

FRANCISCO IBÁÑEZ

(BARCELONA, ESPAÑA, 1936) Es el dibujante español de historietas más famoso y prolífico. Es el creador de numerosos personajes, como Mortadelo y Filemón; 13, Rué del Percebe; El botones Sacarino; Pepe Gotera y Otilio, etc. De enorme popularidad e influencia en el cómic español.

MAITENA

(BUENOS AIRES, ARGENTINA, 1962) Dibujante argentina de sátiras sobre el mundo de los hombres visto desde la perspectiva femenina (con mucho sentido crítico) y desde el mundo de las mujeres (con mucho sentido autocrítico). Algunos de sus títulos más conocidos son *Mujeres alteradas, Curvas peligrosas* y *Superadas.*

3. En parejas, ordenad la información que hay en el texto para completar fichas por países como la siguiente:

País:	*México*
Revistas de historietas:	
Revistas satíricas:	
Personajes de cómics:	
Dibujantes :	

4. En tu país, ¿qué tipo de cómics hay? ¿Qué caricaturistas hay? Si fueras un caricaturista, ¿de quién harías una caricatura? ¿Por qué?

Az 5. Sigue el ejemplo y continúa las series de palabras con el léxico del texto:

humor > *humorista*   **monitos** >   **caricatura** >   **dibujo** >

6. Busca el intruso que hay en cada grupo de palabras:

viñeta	dibujante	álbum
diccionario	monero	caricatura
personaje	periódico	periódico
bocadillo	caricaturista	revista
historieta		tebeo

7. Entrad en una de las páginas recomendadas y elegid tres historietas o tres tiras. Preparad una presentación con diapositivas, mostrádsela a los demás y elegid la que más os haya gustado.

8. En parejas, elegid uno de los cómics o chistes en español que hayáis encontrado y traducidlo a vuestro idioma. Luego, buscad alguna viñeta de vuestro país y traducidla al español.

9. A partir de las páginas de internet señaladas, en grupos, confeccionad una galería de personajes de cómic en español, en formato digital o en papel. Cada grupo deberá elegir un personaje distinto de los siguientes cómics: *Mafalda, Condorito, Memín Pinguín, Mortadelo y Filemón, Zipi y Zape* y algún personaje de cómic manga. La galería debe incluir la imagen del personaje más un texto descriptivo del mismo.

10. Transformad una historieta en narración.

11. Vamos a jugar al personaje desconocido. Antes debes haber hecho las actividades 7 y 9.

- ¿Es un niño?
- No.
- ¿Es una niña?
- Sí.
- ¿Es argentina?
- Sí.

REGLAS:
- En equipos, pensad en un personaje de cómic de la galería que habéis preparado en la actividad 7.
- El resto de la clase deberá haceros preguntas cerradas; solo se podrá responder **sí** o **no**.
- No se pueden hacer más de cinco preguntas por personaje y por equipo.

NARRATIVA

1. Busca en el diccionario bilingüe las palabras **narrativa** y **novela**. Escribe cómo se dicen en tu lengua.

2. Dividid la clase en dos grupos, A y B. Luego, formad parejas con un alumno del grupo A y otro del B. Los alumnos A deberéis hacer una lista de autores de novelas o narraciones cortas en español y los alumnos B una lista de títulos de novelas o narraciones cortas en español. Luego, comparad vuestras listas y relacionad autores y títulos. Por último, ponedlo en común toda la clase.

La mejor novela del mundo

Es inevitable empezar una visión panorámica de la narrativa en español hablando de *El Quijote*. ¿Qué estudiante de español o de literatura universal no ha oído habar de ella? La obra, escrita por el escritor español **Miguel de Cervantes Saavedra** y publicada en su primera parte en **1605**, tenía el título de *El ingenioso hidalgo don Quijote de la Mancha* (en 1615 apareció la segunda parte). En ella se cuentan las aventuras de un anciano, Alonso Quijano, que, a causa de un exceso de lectura de **libros de caballerías**, enloquece hasta el punto de llegar a creer que es uno de los héroes de este tipo de novelas. Entonces sale al campo en busca de ocasiones en las que poner a prueba su valor, acompañado de un campesino iletrado que le sirve de escudero y que es el contrapunto realista de sus fantasías.

El Quijote surgió como parodia humorística de los libros de caballerías y recoge múltiples reflexiones sobre la vida y la literatura en las que se perciben las variadas y no siempre felices experiencias vitales de su autor.

Cuando el Instituto Nobel de Oslo y el Club del Libro Noruego hicieron una encuesta entre 100 famosos escritores internacionales, El Quijote fue el libro más votado, proclamándose así como la **mejor obra de ficción del mundo**.

Las novelas más valoradas

En las revistas especializadas en literatura pueden encontrarse listas de las novelas mejor valoradas por los lectores o por los críticos literarios. Las novelas en español que suelen aparecer en estas listas son las siguientes:

CIEN AÑOS DE SOLEDAD (1967), del colombiano Gabriel García Márquez, narra la vida, experiencias, amores y desgracias de varias generaciones de la familia Buendía en Macondo, un pueblo imaginario del Caribe. El éxito de esta novela entre los lectores fue inmediato y sin precedentes.

Propició que se conociera en todo el mundo el rico universo mágico y legendario de la narrativa escrita en Hispanoamérica. Su autor, Premio Nobel de Literatura en 1982, es además periodista y tiene una extensa obra de novelas y relatos breves.

RAYUELA (1963), del argentino Julio Cortázar, también está considerada una de las obras capitales de la narrativa moderna en español. La novela relata la vida y sentimientos de Oliveira, un argentino que vive en París y que luego regresa a Buenos Aires, sintiéndose por ello dos veces exiliado. La obra tiene una estructura innovadora porque el lector puede leerla de varias maneras y en varias direcciones. Es, al mismo tiempo, una reflexión sobre las novelas en general. Cortázar revolucionó la estructura tradicional de los géneros literarios. Escribió también innumerables narraciones cortas (cuentos) que son un punto de referencia en este género en la literatura universal.

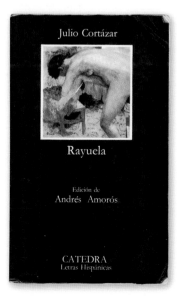

PEDRO PÁRAMO (1951), obra del mexicano Juan Rulfo, es la historia del viaje de Juan Preciado al territorio de los muertos, llamado Comala, en busca de su padre. Por la violencia y la sensualidad del lenguaje, y su especial estructura narrativa (laberíntica, es decir, que no tiene un orden cronológico ni espacial) está también considerada por los especialistas como una obra capital de la narrativa en lengua española.

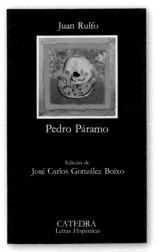

HOMBRES DE MAÍZ (1949), del premio Nobel de Literatura (1967) guatemalteco Miguel Ángel Asturias, destaca por la riqueza expresiva del lenguaje que usa para describir el mundo de las creencias y mitos de los campesinos indígenas, colonizados y dominados, de las tierras mayas.

El escritor español y Premio Nobel de Literatura (1989) Camilo José Cela describió en **LA COLMENA** (1969) la vida cotidiana en una taberna y en un café de Madrid, en el año 1942. La novedad de esta obra consiste en que no sigue un hilo narrativo, sino que va haciendo desfilar ante el lector una extensa galería de retratos de personajes y escenas, como si el lector estuviera viendo una colmena de abejas. La novela representa un gran retrato sobre la vida miserable y difícil de la España de la posguerra.

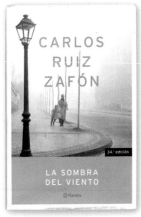

Las novelas más vendidas

LA SOMBRA DEL VIENTO (2002), de Carlos Ruiz Zafón, cuenta, a modo de novela por entregas, una historia de amor, de libros y de misterio en la Barcelona de la posguerra. La trama mezcla todos los ingredientes de este género con un estilo poético. La novela ha sido un éxito de ventas sin precedentes en la narrativa en español.

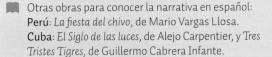

RECOMENDACIONES

📖 Otras obras para conocer la narrativa en español:
Perú: *La fiesta del chivo*, de Mario Vargas Llosa.
Cuba: *El Siglo de las luces*, de Alejo Carpentier, y *Tres Tristes Tigres*, de Guillermo Cabrera Infante.
Argentina: *El Aleph*, de José Luis Borges, y *Santa Evita* de Tomás Eloy Martínez.
Chile: *Los detectives salvajes*, de Roberto Bolaño, y *Nosotras que nos queremos tanto*, de Marcela Serrano.
España: *El jinete polaco*, de Antonio Muñoz Molina, y *El camino*, de Miguel Delibes.
Colombia: *Industrias y navegaciones de Maqroll el gaviero*, de Álvaro Mutis.
México: *Mujeres de ojos grandes*, de Á. Mastretta; *La región más transparente*, de Carlos Fuentes.
Guatemala: *Obras completas*, de Augusto Monterroso.
Uruguay: *El astillero*, de Juan Carlos Onetti.

📶 Podéis también encontrar información sobre autores y obras en: http://cvc.cervantes.es

LA CASA DE LOS ESPÍRITUS (1982), de la escritora chilena Isabel Allende, narra la historia de varias generaciones de mujeres de una familia en Chile. La obra, influida por García Márquez y que mezcla realidad y fantasía, tuvo un éxito extraordinario. Se ha traducido a más de 25 lenguas y sirvió de base a una superproducción cinematográfica que lleva el mismo título.

Récord

Según el Libro Guiness de los Récords de 1994 (en la edición española), Corín Tellado (pseudónimo de María del Socorro Tellado López, 1925-2009), escritora española de novelas románticas y fotonovelas, es la autora más vendida en español y la segunda más conocida después de Cervantes. Ⅲ

TEATRO

Autores

El siglo XVII se conoce en España como el Siglo de Oro español. Fue el periodo de máxima producción artística tanto en el ámbito de la pintura como en el de la literatura, y el teatro también participó de este apogeo creativo. Destaca la figura de **Lope de Vega** (Madrid, 1562-1635), que renovó completamente la comedia clásica cuando esta empezaba a ser un fenómeno de masas. Lope fue lo que hoy llamaríamos un autor de moda. Escribió unas 1.500 obras de teatro, entre ellas *Fuente Ovejuna* (1610). También fue poeta y narrador y el primer autor que reivindicó sus derechos y ganó pleitos para que no le copiaran sus obras.

José Zorrilla (Valladolid, 1817-1863), poeta y dramaturgo romántico, escribió muchas obras de teatro, entre ellas *Don Juan Tenorio* (1844), la historia de un hombre mujeriego y provocador, un drama que inspiraría a Mozart (*Don Giovanni*) y Molière (*Don Juan*). La de Zorrilla es la obra de teatro más representada en España y en México. Actualmente todavía se representa en muchas localidades el Día de Difuntos, el 2 de noviembre.

El poeta **Federico García Lorca** (Fuente Vaqueros, Granada, 1898-1936) también es un importante autor teatral de obras de vanguardia, como *El Público* (1930), y de dramas poéticos, como *Bodas de Sangre* (1931) y *La casa de Bernarda Alba* (1936), basadas en la tradición popular andaluza. Para promover la difusión de los autores clásicos fundó una compañía teatral formada por estudiantes llamada La Barraca, con la que recorría los pueblos de España representando a los autores del Siglo de Oro.

En la escena mexicana sobresale el nombre de **Emilio Carballido** (Córdoba, Veracruz, México, 1925-2008), autor de más de 100 obras de teatro, director, escritor de libretos para ópera, guionista de cine y de televisión, y formador de actores. *Rosa de dos aromas* (1989) es la obra con más éxito de todo el repertorio teatral mexicano.

Roberto 'Tito' Cossa (Buenos Aires, Argentina, 1934) es uno de los autores teatrales actuales más conocidos en Argentina. Fue, con otros autores, el promotor de la iniciativa Teatro Abierto (1981), un movimiento de resistencia cultural contra la dictadura argentina. Algunos de sus títulos más representados son *La Nona* (1979) y *Yepeto* (1999). Sus obras son un retrato fiel de la sociedad argentina.

7.3

TEATRO

⊙ *El Festival Internacional de Teatro Clásico de Almagro (Ciudad Real, España) convierte a la ciudad en un escenario durante unos días.*

Compañías

Algunas compañías teatrales españolas son conocidas internacionalmente, entre ellas **La Fura dels Baus** (Barcelona, 1979), que basa sus espectáculos en técnicas multidisciplinares (baile, acrobacia, música, efectos especiales, nuevas tecnologías) y, sobre todo, en la implicación de los espectadores en el propio espectáculo. **Comediants** (Barcelona, 1971) apuesta por los montajes callejeros inspirados en mitos y leyendas.

Festivales

Desde hace mas de 30 años se celebra en julio en Almagro el **Festival Internacional de Teatro Clásico**, el más importante de España. En esta localidad está el único espacio teatral del siglo XVII que se mantiene todavía en pie: un patio interior de una casa de vecinos llamado **corral de comedias**. En la actualidad, Almagro tiene más de 17 espacios teatrales distintos. Durante el Festival se convierte en una auténtica ciudad-escenario.

Cada dos años, en abril, se celebra en Bogotá (Colombia) el **Festival Internacional de Teatro Iberoamericano**, considerado el más grande del mundo. Reúne 170 compañías colombianas y 100 extranjeras. El festival se inició en el año 1988 para celebrar los 450 años de la fundación de la ciudad de Bogotá. El objetivo era "la integración de la cultura artística hispanoamericana ante el mundo". ‖

> ### RECOMENDACIONES
>
> 🎬 *El perro del hortelano* (1995), de Pilar Miró.
> *Bodas de sangre* (1981), de Carlos Saura.
> *Escrito en el cuerpo de la noche* (2000), de Luis Alberto.
> *Hermosillo*, sobre una obra de Emilio Carballido.
> *Las bicicletas son para el verano* (1984), de J. Chávarri.
> *Ay, Carmela* (1990), de Carlos Saura.

3. ¿Qué libros, obras de teatro y autores que ya conocías aparecen en el texto sobre el teatro?

4. ¿Qué autores citados en los textos obtuvieron el Premio Nobel de Literatura?

5. Completa la tabla, por orden cronológico, desde la obra más antigua a la más moderna:

Año	Título de la obra	Género	Autor / autora	País	Informaciones relevantes
1605	El ingenioso hidalgo...	Narrativa	Miguel de Cervantes		
1610	Fuenteovejuna				
1844					
....					

6. ¿De qué autor no se cita ninguna obra en los textos?

7. ¿Algún autor que escriba en tu lengua ha obtenido el Premio Nobel de Literatura? ¿En qué año? ¿A cuál propondrías tú?

8. ¿Cuáles son las obras mejores, las más conocidas y las más vendidas de la narrativa en tu lengua?

Az 9. Encuentra en los textos las palabras o expresiones que significan:

persona que escribe obras literarias

persona que escribe en un periódico

grupo de personas que leen un libro

película con gran presupuesto

novela de amores y desamores

lo que pasa en una novela

la forma en que están ordenados los elementos de una novela

recepción de ideas y estilo de otra persona

forma particular de escribir de un escritor

grupo de personas que representan una obra teatral

persona que lee un libro

10. En parejas, y a partir del vocabulario del texto sobre el teatro, haced un pequeño "diccionario de teatro" ordenando las palabras alfabéticamente.

11. Entra en las web oficiales de: **La Fura dels Baus**, www.lafura.com , **Comediants**, www.comediants.com , **Festival Internacional de Teatro Clásico de Almagro**, www.festivaldealmagro.com , **Festival Internacional de Teatro Iberoamericano de Bogotá**, www.festivaldeteatro.com.co y completa el texto de esta unidad con un párrafo más, añadiendo información que hayas encontrado en estas páginas.

12. En equipos, preparad preguntas sobre las informaciones de uno de los textos. Haced tarjetas con una pregunta y tres posibles respuestas. Podéis incluir también preguntas sobre la narrativa en vuestra lengua. Cuando estén escritas, poned todas las tarjetas en una caja y, por grupos, sacad una al azar. Debéis contestar a las preguntas que en ella se plantean.

POESÍA

1. En parejas, ¿recordáis algún poema en vuestra lengua que hable del mar? ¿Podríais repetir algún fragmento? ¿Con qué se compara el mar? ¿Qué sentimientos trasmite? ¿Conocéis alguna canción o algún poema en español que hable del mar?

2. Leed los poemas del texto e intentad averiguar cuál es el más antiguo y cuál el más moderno.

El mar de los poetas, los poetas y el mar

Al trazar un breve panorama de la poesía en español de los últimos dos siglos es imprescindible mencionar cinco poetas en lengua española que han recibido el **Premio Nobel de Literatura**: los chilenos **Gabriela Mistral** (1945) y **Pablo Neruda** (1971); los españoles **Juan Ramón Jiménez** (1956) y **Vicente Aleixandre** (1977), y el mexicano **Octavio Paz** (1990). Pero no son los únicos que destacan en el ancho mar de la poesía hispánica.

Pablo Neruda, *Parral (Chile) -Santiago de Chile (Chile)*

PABLO NERUDA: GEOGRAFÍAS DEL AMOR

Para Pablo Neruda, la poesía está en las cosas más cotidianas porque para este poeta todo, absolutamente todo, es poesía. En Neruda, las cosas y, sobre todo, las personas adquieren una dimensión de **paisaje**. Así, el cuerpo de la mujer amada es una montaña, una selva, una isla que aparece entre la niebla; su pelo, algas o frutas; sus ojos, mares a los que poeta lanza sus redes.

POEMA 7

Inclinado en las tardes tiro mis tristes redes
a tus ojos oceánicos.

Allí se estira y arde en la más alta hoguera
mi soledad que da vueltas los brazos como un náufrago.

Hago rojas señales sobre tus ojos ausentes
que olean como el mar a la orilla de un faro.

Solo guardas tinieblas, hembra distante y mía,
de tu mirada emerge a veces la costa del espanto.

Inclinado en las tardes echo mis tristes redes
a ese mar que sacude tus ojos oceánicos.

Los pájaros nocturnos picotean las primeras estrellas
que centellean como mi alma cuando te amo.

Galopa la noche en su yegua sombría
desparramando espigas azules sobre el campo.

Poema 7, de Pablo Neruda. Incluido en Veinte poemas de amor y una canción desesperada.

Rubén Darío, *Metapa (Nicaragua) - León (Nicaragua)*

RUBÉN DARÍO: Y LLEGÓ LA MÚSICA

A Rubén Darío se le llama el príncipe de las letras castellanas. Contribuyó a la modernización de la poesía en español e introdujo la sensibilidad estética de la **poesía modernista francesa**. Su poesía entra por los sentidos, sugiere colores, olores, sabores y música. Rubén Darío influyó sobre la generación posterior de poetas.

MARINA

Mar armonioso,
mar maravilloso,
tu salada fragancia,
tus colores y músicas sonoras
me dan la sensación divina de mi infancia
en que suaves las horas
venían en un paso de danza reposada
a dejarme un ensueño o regalo de hada.

Fragmento del poema Marina, de Rubén Darío.

RECOMENDACIONES

El cartero de Pablo Neruda (1994), de M. Radfort.
El lado oscuro del corazón (1992), de Eliseo Subiela.
Lorca, muerte de un poeta (1987), de J. A. Bardem.
La luz prodigiosa (2003), de Miguel Hermoso.

Antología Cátedra de las letras hispánicas, de José Fco. Ruiz Casanova.
Feroces: Antología de la poesía radical, marginal y heterodoxa, vv.aa.
Odas elementales, de Pablo Neruda.
El ojo de la mujer, de Gioconda Belli.
Romancero gitano y *Poeta en Nueva York*, de Federico García Lorca.
Historias de Gloria, de Gloria Fuertes.
Inventario, de Mario Benedetti.
Vida pasión y muerte de García Lorca, de Ian Gibson.

www.poesia-inter.net

Gabriela Mistral, *Vicuña (Chile) – Nueva York (EE UU)*

MECIENDO

El mar sus millares de olas
mece, divino.

Oyendo a los mares amantes,
mezo a mi niño.

El viento errabundo en la noche
mece los trigos.

Oyendo a los vientos amantes,
mezo a mi niño.

Dios Padre sus miles de mundos
mece sin ruido.

Sintiendo su mano en la sombra
mezo a mi niño.

Fragmento del poema Meciendo, de
Gabriela Mistral.

GABRIELA MISTRAL: TIERRA, TACTO Y TERNURA

La poesía de Gabriela Mistral está impregnada de armonía y de identificación con **la tierra de Chile**, que la poeta recorrió y descubrió en sus sucesivos puestos de directora de varios centros escolares. Fue la primera mujer que recibió el Premio Nobel de Literatura (1945).

EL SILENCIO

Todo mi reino está rayado a esmeril
y es pasto del olvido,
costa brumosa surcada de aguanieves,
intenso mar que vive en mí
con la niebla y la sombra.

De sus playas extraje todo el ámbar,
de mi azotado corazón, todo el silencio.

Fragmento del poema El silencio, de Isla Correyero.

Isla Correyero, *Mijadas, Cáceres (España)*

ISLA CORREYERO: EL CUERPO ES EL POEMA

Isla Correyero pertenece al grupo de los nuevos poetas que trastocan las leyes de las generaciones anteriores. Su poesía tiene como tema recurrente **el cuerpo**, los cuerpos de quienes la rodean y su propio cuerpo de mujer, que es su observatorio, su laboratorio de dolor, su almacén de reservas poéticas.

Federico García Lorca, *Fuente Vaqueros, Granada (España) – Granada*

FEDERICO GARCÍA LORCA: LA FUERZA DE LA TRADICIÓN, LA POTENCIA DE LA INNOVACIÓN

AGUA, ¿DÓNDE VAS?

Agua, ¿dónde vas?

Riyendo* voy por el río
a las orillas del mar.

Mar, ¿adónde vas?

Río arriba voy buscando
fuente donde descansar.

Chopo, y tú, ¿qué harás?

No quiero decirte nada.
Yo..., ¡temblar!

¿Qué deseo, qué no deseo,
por el río y por la mar?

(Cuatro pájaros sin rumbo
en el alto chopo están.)

*Riyendo= riendo
Agua, ¿dónde vas?, de Federico
García Lorca.

Este poeta fue un renovador del lenguaje literario en español. Sus principales fuentes de inspiración poética fueron la tradición poética popular española y el **surrealismo**. De la poesía popular tomó las canciones y las **coplas**, aunque transformaba su vocabulario añadiendo palabras que provocaran un mayor efecto estético. A los 33 años fue fusilado por los franquistas, al inicio de la Guerra Civil española.

Octavio Paz, *Ciudad de México (México)*

OCTAVIO PAZ: EXALTACIÓN Y MOVIMIENTO

La obra de este poeta mexicano está repleta de amor y veneración a la naturaleza. Los **elementos naturales** se convierten en los protagonistas de su poesía, tratados como si fueran personas o animales, como si tuvieran vida propia.

FRENTE AL MAR

¿La ola no tiene forma?
En un instante se esculpe
y en otro se desmorona
en la que emerge, redonda.
Su movimiento es su forma.

Las olas se retiran
–ancas, espaldas, nucas–
pero vuelven las olas
–pechos, bocas, espumas–.

Muere de sed el mar.
Se retuerce, sin nadie,
en su lecho de rocas.
Muere de sed de aire.

Fragmento del poema Frente al mar,
de Octavio Paz.

3. ¿Qué poema te ha gustado más? ¿Por qué? ¿Qué poema te ha costado más comprender? ¿Hay alguna frase que te guste especialmente? ¿Cuál? ¿En algún poema se habla del mar como tú lo ves?

4. De todos estos poetas, ¿cuál es el más antiguo y cuál es el más cercano a nuestra época? Compara las respuestas con las que habías dado antes de leer los textos.

5. ¿Qué poetas conoces de tu lengua que sean contemporáneos de los que cita el texto?

Az **6.** Elegid al menos cuatro versos de los poemas del texto y traducidlos a vuestra lengua.

7. Haced un repertorio de todas las palabras o expresiones del texto relacionadas con la palabra poesía. Busca en el diccionario las que no entiendas. Elige cinco y escribe un pequeño texto sobre un poeta o un poema que te guste especialmente (no tiene por qué ser un poeta español).

8. Entrad en página web del festival de Poesía de Medellín (Colombia) www.festivaldepoesiademedellin.org . Responded a las preguntas:

- ¿Por qué surgió el festival?
- ¿En qué fechas se celebra este año?
- ¿Cuántos poetas participan este año?
- ¿Participa o ha participado en él algún poeta de tu lengua? Elige el que más te guste.
- Elige algún poeta de los que se expresen en español, escúchalo, copia su poema.
- Muestra a la clase los dos poetas que has elegido, justificando tu opción.

9. Elige el poema que más te guste y grábate leyéndolo, con música de fondo. La clase votará cuáles son las mejores grabaciones.

10. En parejas, tenéis que hacer un blog, www.blogspot.com , con una pequeña antología de un poeta en lengua castellana. Puedes escoger uno de los que aparecen en este libro o bien alguno que te guste. En el blog deberás:

- presentar la biografía del poeta
- situarlo cronológicamente en paralelo a los poetas de tu país
- elegir varios poemas (al menos cinco)
- ilustrar esos cinco poemas con fotografías

PRENSA

1. En equipos, haced una encuesta de hábitos de lectura de prensa en la clase. Preguntad: ¿Con qué frecuencia lees el periódico? ¿Qué tipo de periódico lees (información general, deportivo…)? ¿Qué secciones lees? Finalmente, analizad los resultados.

2. ¿Qué periódicos en español conocéis? En parejas, haced una lista. Luego, mirad las imágenes y comparadlas con vuestra lista.

Clarín y La Nación
Según datos del Anuario del Instituto Cervantes (1999), la prensa argentina es la líder en ventas diarias, y Buenos Aires es la ciudad hispanohablante en la que se imprimen más diarios. *Clarín* es el diario más importante en Argentina y uno de los más importantes de la prensa en español. Es uno de los periódicos mejor valorados por los lectores. Es, al mismo tiempo, el más premiado del mundo. El segundo en importancia es *La Nación*.

El País y el Mundo
El País es el periódico con mayor número de lectores en España (según datos de la Oficina de la Justificación de la Difusión y los de Estudios de Medios). Su historia como periódico está ligada a la historia de la democracia española (se publicó por primera vez en 1976). El segundo diario del país es *El Mundo*. Ambos periódicos tienen su sede central en Madrid. El periódico español gratuito más leído es *20 minutos*.

El Nuevo Heraldo y La Opinión
El Nuevo Heraldo, editado en Miami (EE UU), es el diario en español más importante de los Estados Unidos. En este país los hispanohablantes forman una comunidad de 45 millones de personas, la minoría más numerosa y con un crecimiento más rápido del país. Actualmente existen más de 300 publicaciones en español en los Estados Unidos. El segundo periódico en importancia y el más antiguo es *La Opinión*, que se edita en Los Ángeles.

MARCA
Este periódico deportivo editado en Madrid es el más leído en España, con más de dos millones de lectores diarios. Otros periódicos deportivos son *As* y *Sport*. Esta publicación supera en número de lectores diarios a *El País* y *El Mundo*.

La prensa digital: futuro próximo

La tendencia actual en el mundo occidental es la caída de lectores de la prensa en papel y el aumento de lectores de las ediciones digitales. Esta tendencia, unida a la crisis económica, ha originado el cierre de muchos rotativos. En el primer semestre del año 2009 se cerraron en España 15 periódicos, y en los EE UU 120. Al mismo tiempo, las ediciones digitales de los periódicos han incrementado su número de lectores. Algunos estudiosos de la sociología de la comunicación de masas se preguntan sobre el futuro de la prensa escrita e, incluso, adelantan su posible desaparición. Otros piensan que los periódicos escritos no morirán jamás. Se dice que los que logren sobrevivir serán aquellos que ofrezcan una información veraz y objetiva, unida a una opinión crítica. |||

RECOMENDACIONES

Informe sobre la información, de Manuel Vázquez Montalbán. *El déficit mediático*, de Bernardo Díaz Nosty.

Fundéu: www.fundeu.es

La verdad sobre el caso Savolta (1979), de A. Drove. *Demasiado para Gálvez* (1980), de Antonio Gonzalo. *Territorio Comanche* (1997), de Gerardo Herrero. *El mismo amor, la misma lluvia* (2000), de J. J. Campanella. *Tinta Roja* (2001), de Francisco Lombardi. *Crónicas* (2004), de Sebastián Cordero.

3. Según el texto, ¿por qué está en crisis la prensa escrita en el mundo occidental?

4. ¿Cuál es el periódico de opinión más importante de tu país? ¿Y el deportivo?

Az **5.** Busca en el texto los sinónimos que encuentres de la palabra **periódico**.

6. Entrad en las páginas web de los periódicos: **Clarín**: www.clarin.com , **Excélsior**: www.exonline.com.mx , **El mercurio**: www.elmercurio.com , **El Espectador**: www.elespectador.com , **El País**: www.elpais.com . Y en la página de un periódico importante de vuestro país que tenga edición digital.

> **Tenéis que:**
> **a)** Comparar los titulares de una misma noticia de actualidad política o deportiva.
> **b)** Hacer un inventario de noticias de la primera página comparándolas.
> **c)** Verificar si estos periódicos ofrecen canales de información audiovisual: sms de noticias urgentes, podcast, vídeos, etc.
> **d)** Comparar si tienen las mismas secciones.
> **e)** Elegir una carta al director que os haya gustado de uno de los periódicos en español.

7. Entrad en la página del Español Urgente: www.fundeu.es y elegid:

· tres consultas que os hayan interesado
· tres noticias sobre la lengua
· tres refranes o dichos

8. Entrad en la página de la agencia de noticias española EFE www.efe.com y buscad las tres últimas noticias relacionadas con vuestro país y las tres últimas relacionadas con el mundo hispano.

9. Dividid la clase en dos grupos: el grupo A deberá defender la idea de que la prensa escrita va a morir definitivamente en pocos años, y la de que solo sobrevivirá la prensa digital. El Grupo B defenderá que la prensa escrita no morirá jamás, a pesar de la revolución digital. Buscad previamente argumentos y luego realizad la discusión en los dos grupos. Podéis grabarla.

10. Tras una discusión previa, y después de la lectura de periódicos en internet, votad entre todos cuál es la noticia relacionada con el mundo del español que sea para vosotros motivo de elogio o de protesta. Redactad una carta al director y enviadla a los periódicos.

11. Redacta una noticia sobre algún suceso real de actualidad, como si fueras un periodista.

CD9

1. Escucha el diálogo de audio 1 y responde: ¿Sobre qué temas hablan? ¿Están todos de acuerdo?

2. Vuelve a escuchar el diálogo y anota quién (Ana, Guillermo, Pedro) hace las siguientes afirmaciones. Ten en cuenta que están desordenadas.

- Piensa que el teatro no es caro porque en una obra hay mucha gente que participa (   )
- Considera que la poesía está pasada de moda (   )
- Le gustan las novelas históricas (   )
- Solo lee cuando está de vacaciones (   )
- Le gustan las novelas policíacas y las de ciencia ficción (   )
- No le gusta nada el teatro (   )
- Lee cuando va en metro o en autobús (   )
- La poesía le sirve para ligar (   )

CD10

3. Escucha el diálogo de audio 2, e indica si las frases siguientes son verdaderas o falsas:

Marina lee la prensa cada día	☐ verdadero	☐ falso
Marina mira los informativos de televisión	☐ verdadero	☐ falso
Gabriel necesita leer la prensa media hora cada día	☐ verdadero	☐ falso

4. Según uno de los personajes, ¿por qué es mejor la prensa para estar informado? ¿Estás de acuerdo? Debate sobre el tema con tus compañeros.

1. ¿Sabes lo que es una novela rosa? ¿Y una novela negra? Habla con tu compañero y encontrad tres diferencias entre los dos tipos de novela.

2. En la primera escena del vídeo se desarrolla un conflicto entre una escritora y sus editores. Mira el fragmento sin voz. ¿Sobre qué podría tratar la discusión? Elabora tus hipótesis; el siguiente vocabulario puede ayudarte.

autora	editor	editorial	libros	contrato	novela	éxito	pseudónimo

3. Mira y escucha todo el documento, y lee las frases del resumen siguiente. Dos de estas frases son falsas. ¿Cuáles?:

a. Leo es una escritora de novela rosa de mucho éxito.
b. Su nombre es conocido en todo el país.
c. Por contrato, debe escribir tres novelas al año.
d. Las novelas no deben tener ninguna conciencia social.
e. Las novelas deben tener un final feliz.
f. En este momento, Leo no puede escribir novela rosa y solo escribe novela negra.

4. ¿Qué historia ha escrito Leo basada en un hecho real? ¿Qué especifica el contrato de Leo con la editorial? ¿Por qué dice Leo que no puede escribir novela rosa en este momento?

ARTE

- Pintura de retratos
- Escultura
- Arquitectura
- Iconos del diseño

Hubo arte desde que el hombre se hizo hombre y habrá arte hasta que el hombre desaparezca. Pero nuestras ideas sobre lo que es arte son tantas y tan diversas, de la visión mágica del primitivo a los manifiestos del surrealismo, como las sociedades y sus civilizaciones.

Octavio Paz, Los hijos del limo

PINTURA DE RETRATOS

1. Mira los cuadros. ¿Cuáles de los personajes representados se parecen más entre ellos? ¿Por qué? ¿Qué diferencias de estilo crees que hay entre los cuadros? Lee el texto y comprueba tus hipótesis.

El retrato en la pintura española

El retrato es uno de los géneros más importantes de la pintura española. Prueba de ello es que en casi todas las épocas se han realizado retratos, lo que no ha ocurrido con otros géneros, como por ejemplo el paisajismo. La pintura de retratos nos revela muchas cosas sobre la sociedad de cada época, sus tradiciones, sus valores e incluso sobre el concepto mismo de arte.

En la pintura española, las funciones del retrato han ido cambiando, al igual que los estilos pictóricos. Sin embargo, algunos personajes se han convertido en arquetipos y han sido representados en todas las épocas. Eso se debe, en parte, a que **Velázquez** y **Goya**, considerados los maestros de la pintura retratista, fueron muy imitados por pintores posteriores. Así ha evolucionado a lo largo de los siglos la pintura de retratos...

Siglos XI-XV: la representación de Dios, de la Virgen y de los santos

Durante estos siglos, la mayoría de pinturas eran anónimas y representaban a Dios, a la Virgen o a los santos. Su función era guiar a los fieles y explicarles las creencias de la religión cristiana. Por esa razón estas pinturas se encontraban principalmente en las iglesias.

Una figura muy representada fue el **Pantocrátor**, un Cristo que señala el cielo con uno de sus dedos. También se solía representar a la **Virgen** con su hijo sentado en las rodillas.

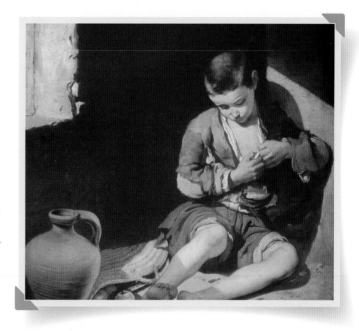

La pintura de los siglos XI y XII, de estilo **románico**, se realizaba directamente sobre las paredes, y en ella predominaba el color azul. En cambio, las obras de los siglos XIII, XIV y XV, de estilo **gótico**, solían realizarse sobre tablas de madera. En ellas abundaba el color dorado.

Siglos XVI-XVII: los retratos religiosos y de la Corte

Los primeros retratistas cuyos nombres han llegado hasta nosotros son los de los siglos XVI y XVII. En esa época, los monarcas encargaban retratos para darse a conocer en otros países y glorificar su imagen. Uno de los pintores más conocidos e influyentes de esta época, **Velázquez**, trabajó para la familia real. **Velázquez** realizó muchos retratos de miembros de la realeza y también de bufones y enanos que vivían en la corte y cuya función era distraer a los monarcas. Los monarcas de **Velázquez** suelen mostrar expresiones altivas y de orgullo, mientras que los bufones tienen una mirada más íntima e incluso triste. Durante el siglo XVII, la pintura de temática religiosa siguió siendo muy importante. Dos de los pintores que más representaron figuras religiosas fueron **Zurbarán** y **Murillo**. Son muy conocidos los retratos de frailes y santos de **Zurbarán** y las pinturas de vírgenes de **Murillo**, mucho más expresivas que las de los siglos anteriores.

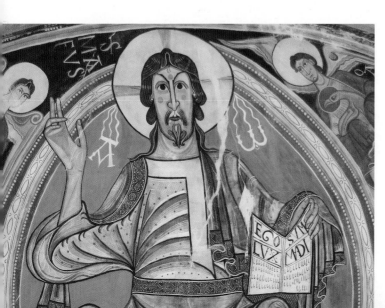

Otro arquetipo que aparece a menudo representado en esta época es el niño mendigo, mal vestido y que pide limosna por las calles. Los pintores **José de Ribera** y **Murillo** solían representar este tipo de personaje. La pintura de estos artistas tiene elementos característicos de la pintura **barroca**, como el claroscuro (el contraste entre luz y oscuridad), el uso de colores fuertes (como el rojo o el negro), la gran expresividad de los rostros y el realismo en el tratamiento de los temas.

Siglo XVIII-XIX: retratos de aristócratas e intelectuales

Durante estos siglos, el retrato dejó de ser exclusivo de la monarquía, ya que las familias de aristócratas también empezaron a encargar retratos.
Goya es el pintor más destacado de esta época. Su pintura ha influido mucho no solo en el arte español, sino también en el europeo. Como **Velázquez**, **Goya** trabajó para la monarquía y por eso en muchos de sus cuadros aparecen miembros de la realeza. Pero también realizó muchos retratos de aristócratas e intelectuales de la época en sus casas –trabajando, o en escenas de la vida cotidiana– o en el campo –jugando, comiendo, etc.
Goya probó varios estilos artísticos. En muchos de sus cuadros la pincelada se difumina y da impresión de inacabada, por ese motivo se le considera un precursor del **impresionismo**.

Siglo XIX-XX: la burguesía en paisajes urbanos

En el siglo XIX, la invención de la fotografía cambió radicalmente el concepto del arte. La fotografía pasó a tener la función que antes había tenido la pintura de retratos, es decir la de representar a alguien y fijar su imagen para siempre. La pintura evolucionó por otros caminos, interesándose aún más por captar las emociones y sentimientos de los personajes retratados.

RETRATOS DE DOS PINTORES LATINOAMERICANOS

Dos de los artistas que más se han interesado por el retrato son el mexicano Diego Rivera y el colombiano Fernando Botero.

DIEGO DE RIVERA (1886-1957): retratos de un pueblo

Es uno de los pintores mexicanos más conocidos internacionalmente. Pintó muchos retratos en los que representó tanto a personajes famosos (como el pintor Siqueiros y su mujer, Frida Kahlo, también pintora) como a personas humildes, principalmente obreros y campesinos. Rivera quiso apoyar la revolución mexicana a través del arte y pintó muchos murales (un tipo de pintura al fresco de temática política), con los que intentó acercar el arte a los mexicanos. Desde el punto de vista artístico, y aunque su estilo fue evolucionando, la mayoría de sus retratos se caracterizan por la presencia de figuras planas con mucho colorido.

FERNANDO BOTERO (1932): un estilo único

Este pintor colombiano es uno de los artistas más cotizados del mundo. Muchos de sus retratos representan a mujeres, aunque también ha pintado bastantes toreros a raíz de su interés por el mundo de los toros. Asimismo, se ha inspirado en artistas del pasado para realizar algunos de sus retratos, como La Mona Lisa o el Retrato de Velázquez. En el año 2005, realizó una serie de 79 obras con las que pretendía protestar contra las torturas a prisioneros en Abu Ghraib, Iraq. Sus retratos se caracterizan por las figuras voluptuosas y de grandes dimensiones, y suelen mostrar un fuerte colorido.

PINTURA DE RETRATOS

A finales del siglo XIX, los pintores solían retratar a ciudadanos desconocidos, reflejando la impresión que les producían estos. Burgueses, obreros (dos nuevas clases sociales) y campesinos fueron algunos de esos personajes representados. Pintores como **Sorolla** y **Casas** retrataron a burgueses en distintos lugares de las ciudades, como cafés, parques o sus propias casas, o bien en lugares de descanso, como la playa y la montaña. En la mayoría de estas pinturas, los personajes retratados suelen tener una expresión relajada y natural.
La pintura de esta época está muy influenciada por el impresionismo e intenta captar el efecto de la luz sobre los objetos y las personas. Uno de los pintores más destacados de la época, junto con **Sorolla** y **Casas,** es **Zuloaga**.

Siglo XX: explorar con los retratos

En la época de las **vanguardias**, hacer retratos se convirtió en un juego, en una excusa para reflexionar sobre la identidad humana y probar nuevas formas y colores. Los retratos dejaron de ser fieles a la realidad y el resultado fueron las caras deformadas del **cubismo** o insinuadas por colores chillones y puros (verdes, rojos y amarillos), típicas del **fauvismo**, dos de los movimientos artísticos del momento.
Picasso, cuya extensa obra refleja distintos estilos pictóricos, es probablemente el pintor que más retratos realizó. Muchas de sus obras muestran personajes ampliamente representados a lo largo de la historia, como por ejemplo arlequines, que recuerdan a los bufones de la época de Velázquez, o mujeres con niños en su falda, que suelen recibir el nombre de Maternidad y que recuerdan a los que se hacían de la virgen en siglos anteriores. Otros artistas importantes de esta época son **Juan Gris** y **Dalí**. III

ALGUNAS OBRAS CONOCIDAS

DIEGO VELÁZQUEZ (1599-1660): *Las Meninas, Felipe IV, La Infanta Margarita, El Príncipe Baltasar Carlos.*
BARTOLOMÉ ESTEBAN MURILLO (1617-1682): *Joven mendigo, La virgen del rosario.*
JOSÉ DE RIBERA (1591-1652): *El patizambo, El martirio de San Bartolomé.*
FRANCISCO DE ZURBARÁN (1598-1664): *Fray Jerónimo Pérez, Cristo en la cruz.*
FRANCISCO DE GOYA (1746-1828): *La familia de Carlos IV, La maja vestida, La vendimia, La condesa de Chinchón.*
JOAQUÍN SOROLLA (1863-1923): *María pintando en el pardo, Paseo por la playa.*
IGNACIO ZULOAGA (1870-1945): *La familia del torero gitano, Morenita con chal blanco, El enano Gregorio, Juan Belmonte.*
RAMÓN CASAS (1866-1932): *Madeleine, A los toros, Interior al aire libre.*
ISIDRE NONELL (1872-1911): *La Paloma, Gitana con mantón, La Lola.*
PABLO PICASSO (1881-1973): *Retrato de la señora Canals, Retrato de Dora Maar, Maternidad.*
JUAN GRIS (1887-1927): *Mujer con guitarra, Arlequín.*
SALVADOR DALÍ (1904-1989): *Mi esposa desnuda, Mujer mirando por la ventana, Cristo crucificado.*
DIEGO RIVERA (1886-1957): *Retrato de mujer, Mercado de flores, Retrato de Lupe Marín, Retrato de Ignacio Sánchez.*
FERNANDO BOTERO (1932): *El baño, Mona Lisa, Familia colombiana.*

RECOMENDACIONES

Volaverunt, de Bigas Luna.
Goya en Burdeos, de Carlos Saura.
Sobrevivir a Picasso, de James Ivory.
Frida, naturaleza viva, de Paul Leduc; *Abajo el telón*, de Tim Robbins; y *Frida*, de Julie Taymor.

Museo Nacional del Prado (Madrid, España), **Museo Nacional Centro de Arte Reina Sofía** (Madrid, España), **Museo Picasso** (Barcelona, España), **Museo Sorolla** (Madrid, España), **Museo de arte de Lima** (Lima, Perú), **Museo Nacional de Bellas Artes** (Santiago de Chile, Chile), **Museo de Arte Latinoamericano de Buenos Aires** (Buenos Aires, Argentina), **Museo Nacional de Arte** (Ciudad de México, México), **Museo Nacional de Colombia** (Bogotá, Colombia), **Museo Mural Diego Rivera** (Ciudad de México, México), **Museo Botero** (Bogotá, Colombia).

2. Cita algunas de las funciones del retrato a lo largo de la historia.

3. Hay algunos personajes que se han representado repetidamente a lo largo de la historia, pero con diferencias según las épocas. ¿Qué tienen en común los siguientes personajes?

monarca	aristócrata	burgués		arlequín	bufón

mendigo	campesino	obrero		virgen	maternidad

Az **4.** Lee las definiciones siguientes y encuentra las palabras que se corresponden con ellas:

a) Religioso que vive en un monasterio.

b) Persona de pequeña estatura (no muy alto).

c) Representación de Cristo.

d) Estilo pictórico que se caracteriza por el uso del claroscuro.

e) Estilo pictórico que se caracteriza por el interés por captar la luz y por el uso de una pincelada difuminada.

5. En grupos, visitad las páginas web de algunos museos del mundo hispano y elegid una exposición que os gustaría visitar. Explicad a los demás qué tipo de pintura muestra esa exposición y por qué querríais ir a verla.

6. En grupos, buscad retratos de los pintores de los que habla el texto. Cada grupo buscará 5 retratos de un pintor distinto. Después, los presentará en clase. Seguid esta pauta:

- Nombre del cuadro.
- Personaje retratado.
- Qué transmite el personaje.
- Forma (características de los colores o las líneas).
- Tema del cuadro.

7. Ahora busca un retrato o autorretrato de un pintor de tu país o de otro país que no sea España. Muéstraselo a tus compañeros y, entre todos, decidid si se parece a algún cuadro de los que tenéis en la página anterior o de los que habéis buscado en el ejercicio 6. ¿En qué se parecen? ¿Cuál os gusta más? ¿Por qué? Discutidlo oralmente.

8. Inventa una historia sobre el personaje de uno de los cuadros que has visto. ¿Dónde vive? ¿A qué se dedica? ¿Cómo se siente? Escríbela.

ESCULTURA

📄 **1.** Mira las imágenes de las esculturas de este texto y piensa en qué lugares podemos encontrar una escultura. ¿Cuál crees que es la función de la escultura en esos lugares? Coméntalo con el resto de compañeros. Después lee el texto y averigua si se habla de funciones o lugares distintos a los que habías pensado.

Siete esculturas representativas del arte hispano

Las esculturas realizadas en los países de habla hispana a lo largo de la historia se distinguen tanto por los materiales con que están hechas como por lo que representan, la función que tienen y el lugar en el que se encuentran. Estas siete obras son una pequeña muestra del arte escultórico del mundo hispano.

1. La dama de Elche es el busto de una mujer íbera, y data de los siglos IV o V a.C. La escultura es de piedra caliza y parece haber sido pintada. Lleva una de las típicas joyas íberas, una especie de rueda que cuelga de las orejas. Esta escultura, que se encontró en Elche (Alicante, España), servía, probablemente, para el culto a los muertos, ya que en su parte trasera hay un agujero en el que se cree que se introducían ofrendas. Actualmente se encuentra en el Museo Arqueológico Nacional de España.

2. La Estela de Madrid es una escultura de piedra que data aproximadamente del siglo VII. Se encontró en el palacio de Palenque, una ciudad maya de Chiapas (México), pero en la actualidad se puede ver en el Museo de América de Madrid. Este relieve representa a un Bacab, uno de los dioses que, según los mayas, sujetaban el cielo. La figura es elegante y de rasgos aparentemente asiáticos. Tiene un gran collar y unos enormes pendientes.

⊕ *Escultura de la diosa Cibeles.*

3. El Cristo del cachorro (siglo XVII) se encuentra en la Iglesia del Santísimo Cristo de la Expiración, en Sevilla (España). Es uno de los numerosos Cristos que hay en iglesias españolas y latinoamericanas. Es de madera y muestra una expresión de profundo sufrimiento que provoca tristeza y compasión. En Semana Santa, los sevillanos lo sacan a la calle en procesiones que recuerdan la muerte de Cristo.

4. La escultura de Cibeles, la diosa romana de la Tierra, se encuentra en Madrid, en la fuente del mismo nombre, y se ha convertido en símbolo de la ciudad. Esta escultura forma parte de un monumento de piedra en el que participaron varios escultores y un arquitecto. **Francisco Gutiérrez** fue el escultor que realizó la estatua de Cibeles. La obra es representativa del arte del siglo XVIII, que se inspiraba en el arte griego y romano, y que representaba a menudo personajes de la mitología clásica. La escultura de Cibeles es conocida porque los aficionados del Real Madrid se reúnen a su alrededor para celebrar los triunfos de su equipo.

5. El peine del viento (de 1977) es obra de **Eduardo Chillida**, uno de los escultores más famosos del siglo XX. Se encuentra en San Sebastián (España), en el Paseo del Viento, un espacio creado específicamente para esta escultura. La obra la forman tres piezas de acero (de diez

⊕ *La dama de Elche.*

Fernando Botero, Caballo, 2008. ⬆

toneladas cada una). Provoca un efecto de tranquilidad y serenidad, ya que se une perfectamente con el paisaje, las rocas, el viento y el mar. De hecho, para **Chillida** la obra de arte debía integrarse en la naturaleza, y por eso juega con las formas huecas por las que se cuelan el viento y la luz. **Chillida** adoraba el mar, y cerca de él situó muchas de sus esculturas, como el Elogio del Horizonte (Gijón, España), otra de sus obras más conocidas.

6. Dona i ocell (*Mujer y pájaro*) es una escultura de hormigón de 22 metros de alto, obra del pintor y escultor catalán **Joan Miró**. Está recubierta de fragmentos de cerámica de los mismos colores alegres (rojo, amarillo, azul y verde) que Miró usaba en sus cuadros. Desde 1983 se encuentra en el Parque de l'Escorxador, en Barcelona, y se ha convertido en un símbolo de la ciudad. La escultura representa a una mujer con un pájaro, dos de los elementos recurrentes de la obra de este artista (los otros son el sol y la luna). Esta obra transmite una sensación de alegría, probablemente debido a los colores utilizados.

7. Caballo (de 1992) es una escultura de bronce del pintor **Fernando Botero**. La obra se encuentra en Medellín (la ciudad natal de Botero), en el Parque Botero, una plaza en la que se pueden encontrar muchas otras esculturas de este artista, tanto de animales (Pájaro, Gato o Perro) como de mujeres. Como casi todas sus obras, Caballo es de grandes dimensiones, tiene formas redondeadas y da sensación de robustez. **Botero** es probablemente uno de los escultores internacionales más conocidos. En muchas ciudades del mundo, como Nueva York o Tokio, podemos encontrar esculturas suyas. ⫴

OTRAS ESCULTURAS Y ESCULTORES

En España:

SALVADOR DALÍ (1904-1989): *Perseo* (Marbella) y *Rinoceronte vestido con puntillas* (Marbella).

PABLO PICASSO (1881-1973): *Guitarra* (Museo Picasso, Barcelona).

JULIO GONZÁLEZ (1876-1942): *La Montserrat* (Museo Stedelijk, Amsterdam).

JORGE OTEIZA (1908-2003): *Construcción vacía* (San Sebastián, España).

JOSEP LLIMONA (1867-1937): *El desconsol* (Barcelona, España).

PABLO GARGALLO (1881-1934): *El profeta* (Museo Pablo Gargallo, Zaragoza).

En América Latina:

J.L. PEROTTI RONZZONI (1898-1956): *Maternidad* (Museo de Bellas Artes, Chile).

LUIS PERLOTTI (1890-1969): *Monumento a Alfonsina Storni* (Mar de la Plata, Argentina).

JOSÉ LUÍS CUEVAS (1934): *La figura obscena* (Colima, México).

FRANCISCO NARVÁEZ (1953): *Las Toninas* (Caracas, Venezuela).

Anónimo: *Conjunto escultórico en Tula* (México).

RECOMENDACIONES

⌘ **Algunos museos de escultura:** Museo de Escultura al Aire Libre (Madrid, España), Museo Arte Público (Madrid, España), Museo San Gregorio (Valladolid, España), Museo Federico Silva. Escultura Contemporánea (San Luís Potosí, México), Museo Pablo Gargallo (Zaragoza, España), Museo de Escultura Luis Perlotti (Buenos Aires, Argentina), Museo Chileno de Arte Precolombino (Santiago de Chile, Chile).

⌘ **Algunos parques de esculturas:** Parc Art (Cassà de la Selva, España); Museo Chillida-Leku (Hernani, España), Centro de Arte y Naturaleza (Huesca, España), Fundación César Manrique (Tenerife, España), Parque de las esculturas (Santiago de Chile, Chile), Parque Botero (Medellín, Colombia).

⬇ *Eduardo Chillida*, El peine del viento, 1977.

2. Elige la escultura que te gusta más y explica a tus compañeros por qué te gusta. Piensa en el objeto representado, el lugar en el que se encuentra, su función, su forma y el efecto que provoca en ti. ¿Cuál es la escultura que gusta más a la mayoría de la clase?

3. ¿Qué escultor de los que aparecen en el texto crees que ha podido decir esta frase? ¿Por qué?

> "En el proceso de mi trabajo se da siempre un diálogo (...) entre lo lleno y lo vacío.
> Están los dos actuando en todas las obras".

Az **4.** Busca en los textos las palabras que hacen referencia al material con el que están hechas las esculturas y tradúcelas a tu lengua. ¿Conoces otros materiales con los que se puedan hacer esculturas? ¿Cuáles?

5. En la descripción de algunas de las esculturas se explica el efecto que provocan.

A. Busca en el texto los sustantivos que equivalen a los adjetivos siguientes:

| Robusto | Alegre | Tranquilo | Triste | Compasivo |

B. Estas son las expresiones utilizadas para explicar el efecto que provocan las esculturas: dar / transmitir / provocar + una sensación; efecto + de + sustantivo; provocar / transmitir + sustantivo. Escribe tres frases usando alguna de estas expresiones para describir el efecto que te provocan **La Dama de Elche**, **Cibeles** y **la Estela de Madrid**.

6. Buscad tres esculturas de Botero y de Chillida fuera de España y de Colombia. ¿Cómo son y dónde están? Después, tratad de averiguar si hay alguna obra de un escultor hispano en vuestro país.

7. En grupos, buscad:

ⓐ *Estela de Madrid.*

> **a)** una escultura que represente a una figura humana.
> **b)** una escultura que represente a un animal.
> **c)** una escultura de una figura religiosa.
> **d)** una escultura de un objeto.

Para cada una de esas esculturas haced una ficha con esta información:

> • Nombre de la escultura, autor y año de realización.
> • Material.
> • Tipo de escultura.
> • Lugar en el que se encuentra.
> • Descripción y efecto que provoca.

Finalmente, todos los grupos podéis añadir las imágenes y fichas de las esculturas en un blog. Discutid en clase qué esculturas se parecen más. ¿En qué lugar las pondríais vosotros?

8. Formad grupos. Presentad oralmente a los compañeros de vuestro grupo una escultura de vuestra ciudad que os guste. Pensad en lo que os gusta de ella, en su forma, sus colores, las sensaciones que provoca, etc. Para hacer la exposición, quizás te sea útil hacer una ficha como la del ejercicio anterior.

ARQUITECTURA

📄 **1.** Mira las fotografías. ¿Cuál crees que es el edificio más antiguo? ¿Y el más moderno? ¿Por qué? ¿Crees que son edificios civiles o religiosos? Lee el texto y compruébalo.

La arquitectura de los distintos países de habla hispana es muy variada y producto de distintos momentos históricos. Por lo tanto, parte de concepciones del arte muy diversas. Algunas de las construcciones y los estilos arquitectónicos más significativos son los siguientes:

La huella de Roma

En España se encuentran varios edificios que los romanos construían para el entretenimiento, como los teatros o anfiteatros, y otras obras de ingeniería, como los acueductos, que servían para llevar agua a las ciudades. Las ciudades con más vestigios romanos son Tarragona (la antigua Tarraco) y Mérida (la antigua Emérita Augusta), donde se encuentra el **Teatro Romano de Mérida** (del siglo I a.C), en el que todavía se representan obras de teatro. Una de las construcciones romanas que mejor se han conservado es el **Acueducto de Segovia**, que tiene 166 arcos y 120 pilares.

Metrópolis precolombinas

En América Latina se conservan grandes ciudades de estilo precolombino o prehispánico, es decir construidas antes de la llegada de Cristóbal Colón. Existen dos focos importantes de esta arquitectura prehispánica: uno en la zona de México y Guatemala, y otro en la zona de los Andes. Teotihuacan, en México, es una de las ciudades antiguas mejor conservadas. Allí se encuentra el **Templo de Quetzalcóatl**, una pirámide escalonada del siglo III d.C. En los Andes hay varias ciudades que demuestran la habilidad de los incas

para construir núcleos urbanos en montañas muy altas. Las ciudades de **Cuzco** o **Machu-Picchu** (en Perú) son buena prueba de ello.

Un lujo equilibrado

Los pueblos árabes que gobernaron Al-Andalus durante varios siglos dejaron en la Península ibérica varias joyas arquitectónicas. La **Mezquita de Córdoba** (siglo VIII d.C), un templo musulmán, es uno de los primeros grandes edificios que construyeron. Llaman la atención sus arcos de herradura (se llaman así porque su forma recuerda a la de una herradura), construidos con piedras blancas y rojas. Estos arcos son típicos de la arquitectura islámica. **La Alhambra** (en Granada) es un palacio construido en el siglo XIV, poco antes de la expulsión de los árabes de la Península Ibérica. En árabe, Al Hamar significa "la roja", y ese es el color de los ladrillos de la parte exterior del palacio. La Alhambra tiene varios patios, además de fuentes y jardines llenos de vegetación. Su interior ha sido decorado con dibujos de formas vegetales y geométricas.

XVI, situado en las afueras de Madrid. Tiene forma rectangular y una fachada muy sencilla, llena de ventanas.

El poder de la Iglesia también se manifestó en la arquitectura barroca del siglo XVII. Durante este siglo, la religión católica se vio amenazada por el protestantismo. Para mantener a los fieles y afirmar el poder de la Iglesia, se construyeron iglesias llenas de adornos caros. Hay muchas iglesias de este estilo en países de América Latina, por ejemplo, la **Catedral de San Francisco** en Lima (Perú) o la **Catedral de Zacatecas** en México. En España, cabe destacar la **Catedral de Santiago de Compostela**.

Un siglo más tarde se empezaron a construir edificios grandiosos, de estilo clásico, a menudo encargados por el gobierno o las instituciones públicas. Muchos de ellos se encuentran en las capitales: **La Puerta de Alcalá** o **El Museo del Prado**, en Madrid, y la **Catedral de Buenos Aires** y la de **Santiago de Chile**.

Una revolución de materiales y formas

A finales del siglo XIX algunas ciudades crecieron mucho, ya que la revolución industrial hizo que la gente se trasla-

Época de monasterios y catedrales

Gran parte de la arquitectura de la Edad Media es religiosa. En los siglos XI y XII se construyeron monasterios e iglesias. Uno de los monasterios más espectaculares es el de **Silos**, en Burgos (España). Las iglesias de esa época son pequeñas, con arcos redondeados, columnas gruesas y, a veces, pinturas en las paredes interiores. Estas características son propias del arte **románico**.

Ya en los siglos XIII, XIV y XV, se empezaron a construir dentro de las ciudades iglesias mucho más grandes, con arcos apuntados y grandes vidrieras (ventanas decoradas con muchos colores). Estas son algunas de las características del arte **gótico**. Algunas catedrales españolas de este estilo son la de Toledo, la de León, la de Barcelona, la de Burgos o la de Sevilla, entre otras.

A finales de la Edad Media (siglo XV) se edificaron también algunos palacios urbanos en los que vivían los miembros de las familias ricas. Uno de ellos es la **Casa de las Conchas** (Salamanca, España), llamada así porque la fachada de su entrada principal está repleta de conchas.

El esplendor del poder

Una manifestación de poder de la monarquía española fue la construcción de **El Escorial**, un palacio real del siglo

dara a ellas para trabajar en las fábricas. Los edificios de esa época fueron fabricados con materiales muy diversos, como el hierro, el cristal o el ladrillo, e imitaban las formas curvas de la naturaleza. Estas son características de un estilo arquitectónico que en España recibe el nombre de **modernismo**, pero que en otros países europeos se conoce con otros nombres (*Art Nouveau, Jugendstil*, etc.)

En España, Barcelona es la ciudad en la que se pueden encontrar más edificios de este estilo, como la **Sagrada Familia**, la **Casa Batlló**, la **Pedrera** o el **Hospital de Sant Pau**. Muchos edificios modernistas fueron encargos particulares, a menudo de personas adineradas, como el Marqués de Comillas, que encargó a **Gaudí**, uno de los arquitectos más representativos del estilo, la construcción de **El Capricho de Comillas** (en Cantabria, España).

Grandes edificios para el entretenimiento

A mediados del siglo XX se dio mucha importancia a la utilidad de los edificios, y por eso se construyeron obras con formas claras y sencillas. Así es la **Residencia y Escudería Egerstrom**, en Ciudad de México, realizada por el arquitecto **Luís Barragán** en 1968.

En los últimos años del siglo XX y los primeros del XXI, se han construido muchos edificios destinados al entretenimiento (museos, instalaciones deportivas, óperas) y grandes centros de trabajo e infraestructuras que se han convertido en símbolos de sus ciudades. Algunos de estos edificios son el **Museo Guggenheim** de Bilbao, la **Torre Agbar** de Barcelona o el **Puente del Alamillo**, en Sevilla, que fue diseñado por **Calatrava**, uno de los arquitectos españoles más conocidos internacionalmente. ▌

2. ¿En tu país hay muestras de todos los tipos de edificios que se describen en el texto? ¿De cuáles no? ¿Por qué? Después, pon un ejemplo de un edificio de tu país que se parezca a alguno de los que ves en las imágenes de la unidad.

3. Intenta relacionar cada una de estas obras arquitectónicas con las fotografías de la unidad, fijándote tanto en el tipo de edificio como en las características del estilo.

| El Capricho de Comillas | Teotihuacan | Casa de las Conchas | Casa Batlló |

| Catedral de Zacatecas | Acueducto de Segovia | Guggenheim |

Az 4. En este crucigrama hay palabras que se refieren a tipos de edificios y a partes de ellos. Lee las definiciones y busca las palabras en el texto.

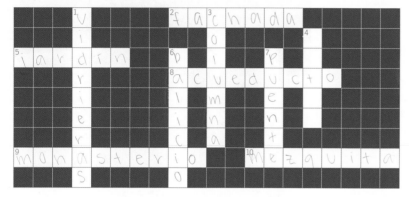

Horizontales

2. Parte exterior de un edificio.
5. Terreno cultivado con plantas y flores.
8. Construcción por la que pasa el agua, para trasladarla a un lugar.
9. Lugar en el que viven los monjes cristianos.
10. Templo musulmán.

Verticales

1. Ventanas con vidrios de colores que suele haber en las iglesias.
3. Soporte vertical que sostiene el peso de la estructura de un edificio.
4. Espacio descubierto dentro de una casa en el que entra la luz.
6. Casa en la que vivían los reyes o los miembros de familias ricas.
7. Construcción que cruza de un lado a otro de un río.

5. Elimina la palabra intrusa en estas dos series:

| ladrillo > hierro > arco > cristal | | columna > pilar > vidriera > ladrillo |

6. Averigua cuáles de estos edificios fueron diseñados por Calatrava y busca en qué ciudades están. ¿Son edificios para el espectáculo, para el trabajo o son infraestructuras? ¿Qué tienen en común?

| Ciudad de las Artes y de las Ciencias | edificio Dentsu | Torre del Commerzbank |

| Turning Torso | Torre Swiss Re | Palau Sant Jordi | Puente de la Mujer |

7. Formad grupos, elegid un país de habla hispana por grupo y buscad por lo menos tres edificios Patrimonio de la Humanidad en ese país (www.unesco.org). Después, exponed ante vuestros compañeros lo que habéis encontrado: de qué época son los edificios, de qué estilo son, qué funciones cumplen, etc.

8. Imagina que tienes que presentarle tu ciudad o región a un amigo extranjero que va a visitarla. Escríbele un e-mail para explicarle el tipo de arquitectura que predomina en la zona y aconsejarle qué edificios visitar.

ICONOS DEL DISEÑO

1. ¿Qué te sugiere la palabra diseño? ¿Crees que el diseño es arte? ¿Conoces algún diseñador de un país de habla hispana?

El diseño está cada vez más presente en nuestras vidas. Todos los objetos de uso cotidiano (sillas, mesas, estanterías, libros, frascos de perfume, lámparas, prendas de ropa, etc.) han sido diseñados. Las ramas principales del diseño son el diseño gráfico, el diseño industrial, el diseño de interiores y el diseño de moda. Mediante el diseño se pretende conseguir que un objeto determinado haga más agradable la vida a su usuario. Diseño es belleza, pero también utilidad. Por eso se ha dicho que el diseño es un nuevo arte.

Dos de los países de habla hispana más destacados en el mundo del diseño son México y España. En México, el diseño empezó a desarrollarse muy pronto (debido a la bonanza económica), en las décadas de los años 50 y 60, con algunos muebles de **Clara Porset** o el logo de las Olimpiadas de México. En España, el diseño no fue verdaderamente relevante hasta la década de los 70, un momento en el que en Barcelona (considerada la capital española del diseño) empezaron a concentrarse varios diseñadores que se inspiraron en la arquitectura modernista y en la obra de artistas como Miró o Picasso. En los años 90, el diseño gráfico contribuyó en gran medida a lanzar una imagen moderna de este país. Además, las empresas empezaron a pensar que el diseño industrial era necesario para ser competitivas y ofrecer una imagen innovadora. Estos son algunos de los iconos del diseño de estos países:

Logos

Los logos de las Olimpiadas de México (1968) y de Barcelona (1992) son iconos del diseño gráfico. El logo de las Olimpiadas de México, de **Lance Wyman**, reproduce el

⊕ La gamba (1989), de Javier Mariscal, se encuentra en la ciudad de Barcelona.

estilo artístico de los indígenas en México y a la vez se inspira en las tendencias del **op-art**, un movimiento de moda por aquel entonces en Estados Unidos y Europa. Por su parte, el logo de las Olimpiadas de Barcelona introdujo la caligrafía a mano alzada (con pincel) en el diseño moderno. **Javier Mariscal**, probablemente uno de los diseñadores españoles más conocidos internacionalmente, fue el creador de la mascota de esas olimpiadas (Cobi), alabada por su originalidad.

Recipientes de uso cotidiano

Algunos de los diseños realizados en países hispanos han pasado a estar presentes en muchas casas. En España, uno de ellos es la aceitera antigoteo, un recipiente de vidrio para poner aceite en los platos sin que este gotee por la parte exterior. La creó **Rafael Marquina**, uno de los primeros diseñadores industriales españoles. En México, la producción de tequila es una de las industrias más importantes del país y por eso se ha trabajado mucho en el diseño de las botellas de esta bebida. Hay botellas con todo tipo de formas: de campana, de revolucionario, de puño ¡y hasta de pistola! Uno de los últimos diseños destacables es el de la marca 1800, que ha realizado una colección de botellas con originales ilustraciones, aunando diseño gráfico e industrial.

¿SABÍAS QUE...

...algunas empresas como Vinçon, BD Ediciones Diseño o Perfumes Antonio Puig han ganado premios nacionales por el diseño de sus productos?.

...actualmente existe un premio de diseño universitario que lleva el nombre de Clara Porset, que se dedicó también a la docencia y que creó en 1969 la carrera de diseño industrial de la UNAM, en México?

Muebles

Probablemente, uno de los muebles más conocidos del mundo es el sofá con forma de labios que diseñó en 1972 el pintor, escultor y diseñador español **Salvador Dalí** junto con el diseñador **Óscar Tusquets**, y que se expone en el Museo Dalí, en Figueres.

Aunque no son tan famosos, otros muebles también han tenido gran repercusión. El carrito **Hilton**, diseñado en 1981 por **Javier Mariscal** (en colaboración con Pepe Cortés), gustó mucho en la Feria del Mueble de Milán. Se trata de un carrito de vidrio y acero pintado para transportar bebidas. La silla **Varius**, un modelo muy sencillo de silla de oficina, es una de las más conocidas del diseño español. La realizó en 1983 el diseñador **Oscar Tusquets**, que a lo largo de los años ha seguido ampliando el conjunto de sillas **Varius**, introduciendo pequeñas modificaciones en ellas.

Una de las aportaciones más relevantes en el terreno del diseño de muebles es la de la diseñadora **Clara Porset**, nacida en La Habana (Cuba) pero que trabajó gran parte de su vida en México. **Porset** utilizaba artesanía mexicana aplicada al diseño industrial con una concepción moderna. Sus obras tuvieron mucha repercusión en el diseño de muebles en México. Su obra *Muebles de jardinería y playa* ganó un premio en la Trienal de Milán, en 1957.

The lover, *del diseñador madrileño Jaime Hayón.*

Algunos diseñadores

En la actualidad, algunos de los diseñadores mexicanos más conocidos son **Valeria Florescano**, que diseña originales joyas y recipientes de vidrio (como floreros o lámparas), **Liliana Ovalle** o **Emiliano Godoy**. En España, destacan **Javier Mariscal**, **Oscar Tusquets** y **Jaime Hayón**, un diseñador muy polifacético. En Argentina, destaca **Ricardo Blanco** (autor del libro *Crónicas del diseño industrial en Argentina*), especializado en el diseño de sillas y que también se dedica a la docencia. Otro diseñador argentino famoso es **Alberto Lievore**, que vive y trabaja en Barcelona (España) desde 1977, igual que **Jorge Pensi**, otro argentino muy relevante en la historia del diseño español. ⦀

Barcelona '92

Juegos de la XXV Olimpiada Barcelona 1992   Jocs de la XXVa Olimpíada Barcelona 1992
Games of the XXV Olympiad Barcelona 1992   Jeux de la XXVe Olympiade Barcelona 1992

RECOMENDACIONES

- Puedes echar un vistazo a las páginas web de algunos premios de diseño: www.premiosnacionalesdediseno.com , cidi.unam.mx/clara-porset

- Algunas revistas de diseño: D&D, Mexican Design, Diseño Interior, Revista Crann, Blank Magazine, Perfórnika.

- Si te interesa la actualidad del diseño español, puedes leer el artículo titulado *El gran salto del diseño español*, que se encuentra en la página web del periódico El País. También puedes leer el libro *Made in Spain. 101 iconos del diseño español* (editorial Electa), de Juli Capella.

2. Por lo que dice el texto, ¿qué es el diseño? ¿En qué crees que se parece a la pintura, la escultura y la arquitectura? ¿A cuál de estas otras artes dirías que se parece más? ¿Por qué? ¿Y en qué se diferencia de todas ellas?

3. ¿Cuál de los diseños de los que habla el texto te gusta más? ¿Por qué? Explica a tus compañeros qué valoras más de ese diseño: ¿te parece bonito, crees que es útil, te sugiere algo?

Az **4.** ¿Cuáles de estos objetos se consideran recipientes?

botella	silla	aceitera	florero	lámpara	logo	frasco

5. Mira la ruta del diseño de Barcelona, que encontrarás en la página web del ayuntamiento de esta ciudad, y comenta con un compañero cuáles de esos lugares te gustaría visitar. Después intentad responder a estas preguntas:

> ¿Por qué un buen diseño mejora la competitividad de una empresa o producto?
> ¿Por qué el consumidor compra productos bien diseñados?
> ¿Por qué el diseño mejora la calidad de vida de las personas?

A continuación, mira la página de los Premios Nacionales de Diseño en España (www.premiosnacionalesdediseno.com). Verás que en en esta web está la respuesta a las preguntas del recuadro de arriba. ¿Qué respuestas se dan? ¿Estás de acuerdo con ellas?

6. ¿Sueles fijarte en cómo están diseñadas las cosas? Cuando compras un objeto, ¿en qué te fijas más, en la belleza o en la utilidad? Lee las afirmaciones que han hecho algunos diseñadores sobre la relación entre belleza y utilidad en el diseño y explica con cuál de ellas estás más de acuerdo. ¿Por qué? Podéis hacer un pequeño debate en grupos de tres o cuatro.

> *"El público, en general, desconoce las bases del diseño. Primero, tiene que tener una utilidad. Todo lo que no es útil no es un buen diseño. Pero la gente no lo sabe. Se fija en la estética, igual que gran parte de los creadores, que piensan que la estética es lo más importante de un objeto" (R. Marquina)*

> *"La gente no se mueve por razones de utilidad inmediata. En la elección de un objeto, la belleza es algo básico e importantísimo" (Oscar Tusquets)*

7. Busca información sobre algún diseñador de tu país y escribe un texto hablando de su vida y los objetos que diseña. No olvides añadir algunas imágenes de sus diseños.

8. En grupos, inventad un objeto que creáis que podría mejorar la vida de las personas. Tenéis que pensar cómo sería, para qué se utilizaría y quién lo usaría. Después, lo presentaréis ante el resto de la clase y haréis una votación para decidir qué objeto está mejor diseñado.

1. Busca en internet una imagen de los siguientes cuadros:

La despedida
(Orozco)

La revolución
(Siqueiros)

La trinchera
(Orozco)

¿Qué representan? ¿Qué sensación te provocan? Coméntalo con tus compañeros. Después, para cada uno de ellos, escribe tres sustantivos y tres adjetivos que los describan.

CD 11

2. Los cuadros que acabas de ver hacen referencia a la Revolución Mexicana. Ahora vas a escuchar una canción titulada *El adiós del soldado*, que también tiene relación con ese momento histórico. ¿Con qué fragmento asocias cada uno de los cuadros? ¿Por qué?

3. Escucha el fragmento otra vez e intenta anotar algunos de los sustantivos y adjetivos que aparecen. ¿Hay alguno que coincida con los que has escrito antes al describir los cuadros?

4. Buscad la canción entera. ¿De qué habla la canción? ¿Qué os sugiere?

5. Buscad tres cuadros más de los pintores José Clemente Orozco y David Alfaro Siqueiros. Buscad también tres cuadros de Diego de Rivera. ¿Qué tienen en común? ¿Qué temas tratan y cómo son las formas y colores de los cuadros?

1. Vas a ver un fragmento de un vídeo que habla de Pablo Picasso y su obra. Antes de verlo, busca en internet una imagen de los cuadros de Picasso *Maternidad junto al mar*, *El equilibrista de la bola* y *Retrato de Fernanda*. ¿Cuáles de ellos crees que pertenecen a la primera etapa del pintor? ¿Cuáles son más modernos?

2. Mira el fragmento y escribe la información sobre la vida de Picasso que corresponda a cada una de estas fechas:

1881-1973	1899	1904-1947	1947	1901-1904	1905-1908	1907	1937

3. Picasso desarrolló una gran variedad de temas y estilos pictóricos. Mira de nuevo el vídeo y relaciona cada uno de estos períodos con los temas y estilos de las obras que pintó en ellos:

Período azul	Pinta a gente del circo y los tonos son más claros
Período rosa	Pinta variaciones de obras de artistas que él admiraba
Desde 1945	Sus cuadros tienen tonos oscuros
Años 50 y 60	Se interesa por el mundo de la gente pobre

4. Según el vídeo, ¿qué dos obras de Picasso son muy representativas y conocidas? ¿Para qué las hizo y por qué son importantes? Apunta todo lo que entiendas sobre estas obras.

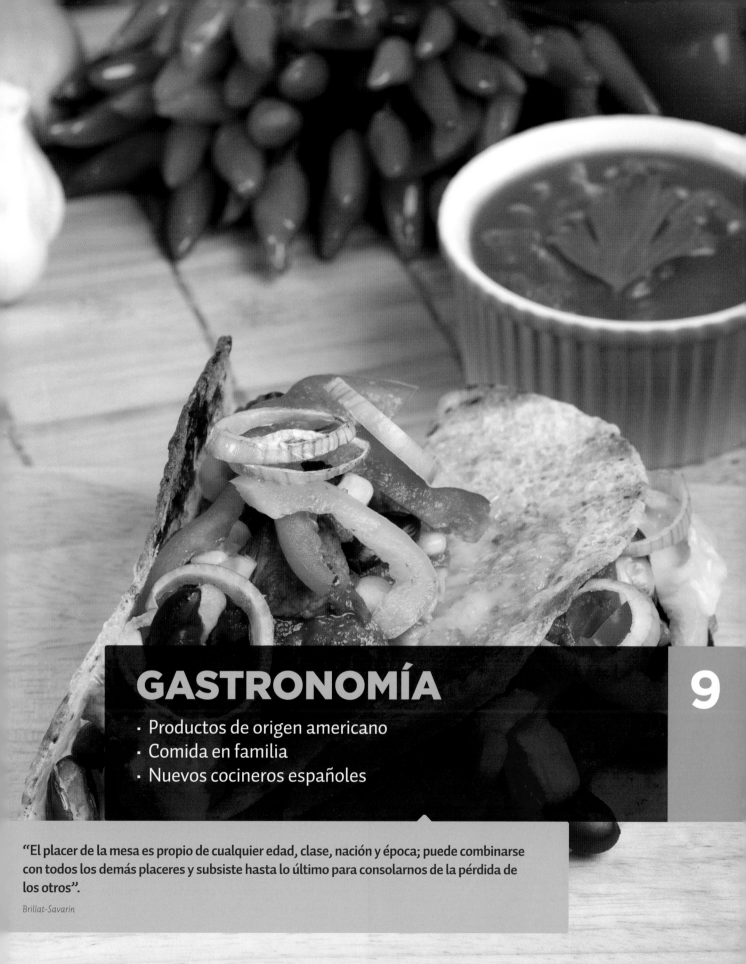

GASTRONOMÍA

9

· Productos de origen americano
· Comida en familia
· Nuevos cocineros españoles

"El placer de la mesa es propio de cualquier edad, clase, nación y época; puede combinarse con todos los demás placeres y subsiste hasta lo último para consolarnos de la pérdida de los otros".

Brillat-Savarin

PRODUCTOS DE ORIGEN AMERICANO

1. ¿Sabes si alguno de los alimentos que consumes es de origen americano? Coméntalo con tu compañero. Lee el siguiente texto y comprueba si tu información es correcta.

Dieta e historia

En la actualidad, en muchas partes del mundo, la dieta habitual comprende un gran número de alimentos. Sin embargo, lo que se comía hace cinco siglos era muy diferente. Por ejemplo, a finales del siglo XV la comida de los pueblos europeos se basaba en el consumo de grandes cantidades de **pan**, **sopas de legumbres** y **verduras condimentadas** con **embutidos** y **hierbas**. Las frutas se consumían por temporadas y únicamente las personas con dinero tenían acceso regular a productos como las especias y el azúcar, que entonces se consideraban de lujo.

Cuando los primeros españoles llegaron al nuevo continente se encontraron con una realidad totalmente diferente: otros climas, animales y plantas, grupos humanos y otras formas de comer. Los barcos españoles volvieron del **Nuevo Mundo** cargados de grandes riquezas, entre las que se encontraban nuevos alimentos que se incorporaron a la dieta europea de distintas formas.

⬆ *Tomates.*

⬇ *Guindillas rojas.*

Alimentos de allende los mares

El **tomate** fue rápidamente aceptado en las regiones mediterráneas. Sin embargo, en algunos países del norte de Europa fue utilizado solo como planta ornamental, pues se creía que era venenoso debido a su parecido con la belladona, una planta tóxica que se utilizaba para la brujería. La aceptación de la **patata** fue paulatina: primero fue alimento de pobres y más tarde las guerras y las hambrunas hicieron que llegara a la mesa de todos. En algunos lugares de Europa ha llegado a ocupar el lugar del pan, y es raro ver platos que combinen los dos alimentos. El **maíz**, por su parte, fue adoptado en zonas de clima templado, donde las abundantes lluvias hacían difícil el cultivo de otros cereales, como el trigo o la cebada. A partir del siglo XVI se hizo popular en el norte de Italia, en algunas zonas de los Balcanes y en Galicia, Asturias, Santander y el País Vasco en España, donde rápidamente desplazó a otro alimento básico: la **castaña**.

Otros productos americanos fueron aceptados sin ningún problema, como el **chocolate** y la **vainilla**, que se volvieron rápidamente indispensables en las mesas de la aristocracia europea. El primero, que en América se consumía mezclado con agua, especias y guindilla (conocida en otros países como chile o ají), fue adoptado entre las clases altas y religiosas europeas, que lo mezclaron con leche y canela. La vainilla pronto se convirtió en uno de los productos americanos más caros, pues solo crecía en una pequeña zona cercana al golfo de México; hasta que en 1841 los holandeses empezaron a cultivarla en Java, terminando así con el monopolio español.

Existen muchos ejemplos más sobre alimentos de origen americano. La **guindilla** se consume en todas las regiones tropicales del planeta, la **papaya** tiene un papel central en la comida diaria del sureste asiático y la **piña**, el **aguacate**, el **boniato** o **camote**, el **cacahuate** y la **chirimoya** son consumidos en muchas zonas de los cinco continentes. III

¿SABÍAS QUÉ?

Antes de la llegada de los españoles, en la región de los Andes solo se criaban tres animales para consumo humano. La alpaca era criada por su carne y por su lana, de muy alta calidad, mientras que la llama era usada como animal de carga. Además, se criaban conejillos de Indias, o cuyes, para consumir su carne. Hoy en día, los conejillos de Indias son utilizados en casi todo el mundo como animales de laboratorio o como mascotas. Sin embargo, en la región andina siguen siendo un plato tradicional.

Hasta el siglo XV, en la zona que comprende desde el centro de México hasta Honduras, la gente consumía proteínas de origen animal que obtenían mediante la pesca y la caza (patos, ciervos, cerdos salvajes, etc.), o la recolección (insectos, larvas, caracoles, etc.) Los únicos animales que criaban para consumo humano eran el *xoloscuintle*, un tipo especial de perro sin pelo, y el pavo o guajolote. Este último ha sido el único animal americano que ha llegado a las mesas europeas. Ahora forma parte fundamental de la cena de Navidad en muchos países.

⬆ *Cacao.*

⬆ *Aguacates.*

RECOMENDACIONES

🔗 www.todopapa.com.ar
http://oncetv-ipn.net/paracomerycontar

📖 *Conquista y comida*, coordinado por Janet Long.
Cocina mexicana o historia gastronómica de la Ciudad de México, de Salvador Novo.
Historia de la gastronomía española, de Manuel M. Martínez.

⬆ *Guindillas verdes.*

2. ¿Cuál es la idea principal del texto?

> **a.** Los europeos fueron a América para buscar nuevos alimentos.
>
> **b.** América aportó muchos alimentos a Europa y al mundo.
>
> **c.** El hambre en Europa fue la causa por la que los productos americanos se popularizaron rápidamente.

3. Relaciona las siguientes oraciones con los párrafos del texto.

> • No siempre hemos comido lo mismo. (　　)
> • Al principio se sospechó de una planta por su aspecto. (　　)
> • Algunos sabores se volvieron rápidamente indispensables. (　　)
> • Los alimentos americanos han conquistado el mundo. (　　)
> • Una planta se convirtió en el remedio contra el hambre. (　　)

Az **4.** Busca en el texto las palabras a las que se refieren las siguientes definiciones.

> • Alimento de sabor picante que se consume en muchas regiones calurosas de la Tierra.
> • Período en el que no hay suficientes alimentos para la población.
> • Producto americano muy cotizado porque su producción era muy limitada.
> • Animal de origen americano cuyo consumo es muy común en celebraciones religiosas.
> • Planta americana que, por su similitud con otra planta europea, no se comía en algunas partes de Europa.
> • Vegetales americanos que sustituyeron a otros alimentos en algunas zonas de Europa.

5. Haz una lista por orden alfabético de los productos de origen americano que aparecen en el texto. ¿Cómo se llaman en tu lengua? ¿Y en otras lenguas que conozcas?

6. Busca en internet otros alimentos de origen americano que no mencione el texto. Elige el que te parezca más interesante y prepara una breve presentación para tus compañeros. Acompáñala con imágenes. Entre todos, elegid cuál es la mejor aportación gastronómica que el continente americano ha hecho al mundo.

7. Lee las siguientes preguntas y coméntalas con tus compañeros:

> **a.** ¿Cuáles son los alimentos americanos que más se consumen en tu país?
>
> **b.** ¿Con qué frecuencia se consumen?
>
> **c.** ¿Cuáles te gustan más?
>
> **d.** ¿Se consumen en algún tipo de celebración especial? ¿En cuál?
>
> **e.** ¿Cómo se consumen? ¿Qué platos se cocinan con ellos?

8. Elige un alimento de origen americano que se consuma en tu país y escribe una descripción (habla de su forma, su color, su tamaño, sus usos, etc.). En grupos, adivinad qué alimentos describen las definiciones de vuestros compañeros.

9. Escribe la receta de algún plato típico de tu país que contenga algún producto americano.

10. Escribe un texto sobre los platos más típicos de la cocina de tu país.

COMIDA EN FAMILIA

1. Antes de leer el texto, di si estás de acuerdo o no con las siguientes afirmaciones sobre las comidas de domingo en los países hispanos:

	Sí	No
• En España siempre se come en familia.		
• En España se preparan platos especiales para las comidas de los domingos.		
• En Latinoamérica la comida del domingo es algo muy formal.		
• En general, la comida del domingo suele ser más tarde que el resto de la semana.		

2. ¿Por qué has elegido esas respuestas?

☐ Porque lo he leído en un libro.

☐ Porque lo he visto en una película.

☐ Porque me lo imagino así.

☐ Porque tengo una amigo español/latinoamericano.

☐ Porque he estado en un país de habla hispana.

3. Lee el texto y comprueba tus respuestas.

La idea de reunirse alrededor de una mesa y compartir **alimentos** y **conversación** es una característica común de todas las sociedades humanas. A lo largo de la historia, la comida ha funcionado como **elemento de cohesión** entre los miembros de una familia, un pueblo, un barrio, etc. Dichas ocasiones casi siempre han coincidido con celebraciones de tipo religioso, que han marcado la vida de muchas culturas.

En muchos lugares de España e Hispanoamérica era común comer todos los días en familia, pero durante los últimos años este hábito ha empezado a desaparecer, especialmente en las grandes ciudades. No obstante, se ha conservado la **comida del domingo** como el momento ideal para que todos los miembros de la familia tengan la oportunidad de compartir una comida especial. |||

MARCELO BOLTRINO (TUCUMÁN, ARGENTINA)

"La comida del domingo es la ocasión perfecta para reunirnos con la familia, con los amigos cercanos e incluso con nuestros vecinos. La comida clásica del domingo es un **asado de carne**, por supuesto, y como la preparación de la carne debe ser lenta, mientras se cuece vamos comiendo verduras asadas, ensaladas, empanadillas, chorizos, morcillas... Normalmente, las mujeres se encargan de preparar los acompañamientos mientras los hombres nos encargamos de preparar el fuego y de vigilar la carne, que suele ser de vacuno. A veces preparamos también cabrito o cordero. Para acompañar la carne, casi siempre tomamos un buen vino del país, y de postre comemos helado, tiramisú o un flan. Al final de la comida siempre felicitamos a quien se haya hecho cargo del asado por su trabajo frente al fuego".

🔾 *Nachos con guacamole.*

LETICIA REYES (CUERNAVACA, MÉXICO)

"En México, como los domingos desayunamos más tarde que los días de trabajo, solemos comer alrededor de las cuatro. En mi casa, al contrario de lo que sucede entre semana, los domingos cocinamos platos muy sencillos o compramos comida preparada en el mercado para comerla en casa o consumirla directamente allí. A menudo comemos carne asada, pollos rostizados, barbacoa de borrego cocinada al vapor o carne de cerdo frita (**carnitas**). Esto lo acompañamos con **ensalada de nopales** o de habas, tortillas de maíz, guacamole y otras salsas picantes. A veces, en casa solo preparamos arroz o sopa, pero incluso eso puede comprarse ya preparado, y normalmente bebemos cerveza o **agua de frutas**, es decir, agua mezclada con azúcar y frutas frescas como papaya, melón, piña, sandía... En general, nuestras comidas de domingo son muy relajadas".

⬇ *Comida familiar en México.*

MARTA GASPAR (ZARAGOZA, ESPAÑA)

"En mi casa solemos empezar la comida de domingo alrededor de las tres de la tarde, normalmente nos reunimos en casa de la abuela con mis tíos y mis primos. Uno de mis tíos suele llevar una botella de vino y alguna de mis tías o mi madre preparan el postre para completar el menú. Siempre empezamos con un **aperitivo** o vermut, que tomamos en casa o en un bar cercano y que acompañamos con unas gambitas, unos mejillones o unas olivas rellenas. Después, ya en casa, nos sentamos a la mesa para comer todos juntos. Casi siempre hay dos platos: el primero normalmente es de verduras, y el segundo puede ser un asado de carne o de pescado, o un estofado. A veces comemos **paella** o un potaje de legumbres con algún embutido. Estos platos son más elaborados que los que preparamos otros días porque tenemos más tiempo para cocinar. Además, como es una ocasión especial, cocinamos con ingredientes más finos que el resto de la semana. Acompañamos la comida con vino o agua, y al final hay un postre que puede ser un trozo de tarta o un flan, a diferencia de la fruta o el yogurt que tomamos durante la semana. Al final todos tomamos café o un **carajillo**, que es café con un poco de brandy u otro tipo de licor".

RECOMENDACIONES

📶 Si quieres ampliar la información del texto puedes visitar las siguientes páginas web, donde encontrarás información gastronómica:
argentina: www.argentina.gov.ar
mexicana: www.cocinandocomidamexicana.com
http://oncetv-ipn.net/rutadelsabor
española: http://euroresidentes.com

📖 *Karlos Arguiñano en tu cocina*, de Karlos Arguiñano.
Lo esencial de las cocinas mexicanas, de D. Kennedy.

4. Completa el cuadro con la información que aparece en el texto.

	Hora de inicio	Platos	Bebidas
Marcelo			
Leticia			
Marta			

Az 5. Encuentra en el texto los sinónimos de las siguientes palabras:

unión		complejos	
costumbre		barbacoa	
integrante		cuidar	

6. Busca en internet el origen y las recetas de los platos que aparecen en estos recuadros.
Comenta con tus compañeros cuáles os gustaría probar.

Fideuá   Ensalada de nopales   Sancocho   Ajiaco

Fabada   Cazuela marina   Locro   Ayacuchos

7. En grupos de tres, responded las siguientes preguntas:

1. ¿Qué partes del ritual de la comida del domingo son similares en tu país?

2. ¿Qué platos se suelen comer los domingos?

3. ¿Qué tienen de diferente respecto a los platos que se sirven entre semana?

4. ¿Hay algún plato especial en tu familia? ¿Cuál es? ¿Qué ingredientes lleva?

8. Escribe un texto sobre la comida más especial en la que hayas participado. ¿Con quién estabas?
¿Qué comisteis?

NUEVOS COCINEROS ESPAÑOLES

1. ¿Qué entiendes por cocina innovadora? ¿Qué diferencias encuentras con la cocina tradicional?

Los restaurantes nacieron en **Francia** a mediados del siglo **XVIII** como lugares públicos donde la **burguesía** podía comer de forma elegante y cómoda, tal y como lo hacía la aristocracia en la intimidad de sus casas. Así empieza la historia moderna de los restaurantes, que nacieron no solo para satisfacer la necesidad vital de comer, sino también para dar al comensal una experiencia de buen servicio, refinamiento y placer gastronómico.

En el siglo XIX, en la mayoría de las grandes ciudades de todo el mundo, se crearon restaurantes que siguieron el mismo modelo: platos complejos en grandes cantidades y cubiertos por salsas espesas que los camareros servían con maestría frente a los ojos de los comensales.

La nueva cocina

Esta admiración por la *grande cuisine* francesa duró hasta los años setenta del siglo XX, cuando un grupo de jóvenes cocineros empezó a cuestionar las reglas, a investigar y a crear platos novedosos que sorprendieran no solo por su sabor. La *nouvelle cuisine* nació con la idea de preparar platos más ligeros introduciendo los nuevos conocimientos de la **ciencia de la nutrición** y presentándolos en pequeñas raciones que hicieran que la experiencia de comer se disfrutara por medio de más platos y más sabores.

Los cocineros españoles no se han quedado atrás. En las últimas décadas, *Michelin*, la guía de restaurantes más famosa del mundo, les ha concedido tres estrellas a algunos de ellos. Este reconocimiento premia la calidad en el producto y en el servicio, la creatividad y la presentación de sus alimentos. **Pedro Subijana**, **Juan María Arzak**, **Martín Berasategui**, **Carme Ruscalleda**, **Santi Santamaria** y **Ferran Adrià** son algunos de los *chefs* más premiados a nivel nacional e internacional. III

FERRAN ADRIÀ

Es importante resaltar el trabajo de Ferran Adrià, cocinero español que ha sido calificado en muchas ocasiones como el mejor cocinero del mundo y el más influyente a nivel internacional. Esto se debe a que ha logrado crear platos exquisitos y con una excelente presentación, además de haber convertido el acto de comer en una experiencia para todos los sentidos. Para lograr esto, Adrià ha combinado su trabajo creativo con la seriedad de la investigación científica.

Ferran Adrià se inició en 1984 en la cocina de El Bulli, un restaurante ubicado a orillas del mediterráneo y que fue fundado en 1961. Bajo la dirección de cocina de Adrià, el restaurante ha pasado de ser un restaurante convencional a uno de los más cotizados del mundo. El Bulli solo abre del 1 de abril al 1 de octubre y los seis meses restantes el equipo de cocineros se traslada a la ciudad de Barcelona, donde Adrià ha montado un taller de experimentación gastronómica. En este taller se trabaja con técnicas e instrumentos usados en la industria de la alimentación para crear platos y menús en los que se mezclan sabores y texturas nuevos. De este modo se preparan espumas, gelatinas calientes, destilados, cápsulas e incluso humo lleno de aromas, colores y sabores de la cocina tradicional española o de creación propia. Uno de los ejemplos más famosos de la sofisticación de El Bulli es la espuma de tortilla de patatas: una capa de espuma de cada ingrediente (patatas, huevo, aceite y cebolla), cuyos sabores se mezclan en la boca de quien la come. El éxito de Adrià ha sido tan grande que en el año 2007 fue el artista invitado de Documenta, la feria de arte más importante del planeta.

Todavía no existe una categoría oficial para designar esta nueva tendencia culinaria. Algunos la llaman cocina molecular, otros cocina tecno-emocional o cocina de alta tecnología. Pero, como dice el mismo Adrià, será la historia quien decida el nombre de esta gran experiencia.

RECOMENDACIONES

Más información de cocineros españoles:
Santi Santamaria: www.canfabes.com
Juan María Arzak: www.arzak.info
Pedro Subijana: www.akelarre.net
Ferran Adrià: www.elbulli.com y www.albertyferranadria.com

Comer arte: una visión fotográfica de la cocina de Ferran Adrià, escrito por Francesc Guillamet.
El Bulli Vol I-V, producido por el mismo Adrià.

2. De acuerdo con la información del texto, completa las siguientes frases con tus propias palabras:

· Los restaurantes nacieron para _____ .

· La principal característica de la *nouvelle cuisine* es _____ .

· Las estrellas Michelín son un premio que _____ .

· Algunos consideran que Ferrán Adrià es el mejor cocinero del mundo ya que _____ .

· La cocina de El Bulli destaca por _____ .

3. Busca en el texto las palabras que corresponden a las siguientes descripciones. Completa el crucigrama.

Horizontales
2. Idea que va hacia una dirección.
7. Olor agradable.
8. Habilidad para hacer algo.
9. Modo de hacer algo de forma compleja.
10. Que no es sencillo.

Verticales
1. Que tiene mucha influencia.
3. Modo de hacer algo de forma muy fina y delicada.
4. Dudar acerca de algo.
5. Persona que come en un lugar o evento.
6. Volver a hacer algo de forma creativa.

4. Busca en internet algunos ejemplos con los que puedas explicar en qué consiste la cocina molecular. Explícale a tu compañero por qué has elegido esas imágenes.

5. Busca un plato de un cocinero de tu país que sea similar a la cocina molecular. Tu compañero deberá adivinar de qué plato se trata. Inventad un nombre nuevo para los platos que habéis elegido y explicadle al resto de la clase por qué habéis elegido esos nombres.

6. Comenta con tus compañeros las siguientes informaciones y justifica tus opiniones:

1. ¿Qué opinas de la cocina molecular?

2. ¿Con cuáles de estas opiniones sobre la cocina molecular estáis más de acuerdo?
· es una mentira.
· es una moda pasajera.
· es la cocina del futuro.
· es el resultado de los avances tecnológicos.
· es solo para unas cuantas personas.

3. ¿Qué aspectos positivos y negativos tiene la cocina molecular?

4. ¿Cómo crees que evolucionará la cocina en los próximos años?

7. Piensa en cómo se cocina en tu país y escribe un texto sobre qué podría cambiar para volverse parte de la vanguardia.

CD12

1. Escucha la entrevista con el cocinero Carlos Casas y completa la información siguiente:

- Carlos se inició en la cocina
- Su restaurante se llama
- Su clientela es
- En el restaurante de Carlos utilizan productos que
- Según Carlos la cocina española

2. Busca información sobre la cocina española y latinoamericana, y sus características y rasgos principales, y di cuáles de ellos se reflejan en la entrevista anterior.

- ¿Dirías que Carlos Casas es un "típico" cocinero hispano?
- ¿Por qué?
- ¿Cuáles son las características que lo diferencian de los cocineros de otro país, por ejemplo el tuyo?

3. Responde a las siguientes preguntas, y discute con el resto de la clase:

- ¿Qué consideración social se le da a los cocineros en tu país?
- ¿Por qué crees que los cocineros españoles, y muy especialmente Ferrán Adrià, aparecen cada año en lo más alto de las listas de "los mejores cocineros del mundo"?
- En tu opinión, ¿cuáles son los motivos que hacen que la cocina de un determinado país se consolide y se expanda por todo el mundo, y las de otros países no?
- Enumera diez países cuya cocina se haya internacionalizado hasta estar presente en la mayor parte del mundo. ¿Qué tienen todos ellos en común?

1. Observa el primer minuto del vídeo (sin sonido). ¿De qué plato crees que se trata? Coméntalo con tu compañero.

2. Vuelve a ver el vídeo, esta vez con sonido, y responde las siguientes preguntas:

- ¿Tus hipótesis eran correctas?
- ¿Cuáles son los ingredientes de este plato?
- ¿Cómo se prepara?

3. En la segunda parte del vídeo puedes escuchar las palabras de Ferran Adrià. Después de haber escuchado lo que dice, ¿cómo responderías a las siguientes preguntas?

- ¿Qué es la cocina molecular para Adrià?
- ¿Cómo se imagina el futuro?

4. ¿Y tú? ¿Qué opinas acerca de este tipo de cocina? Debate con tus compañeros sobre el futuro de este tipo de cocina.

ENTRETENIMIENTO

10

- · Bailes y música
- · Cine clásico y contemporáneo en español
- · Radio, televisión e internet
- · Deportes

"La televisión ha acabado con el cine, el teatro, las tertulias y la lectura. Ahora, tantos canales terminan con la unidad familiar".

Antonio Mingote

BAILES Y MÚSICA

1. La música popular y bailable, ¿es cultura? Discútelo con tu compañero.

2. Merengue, rumba, flamenco, tango, hip-hop, vallenato, cumbia, bolero, rock'n'roll, candombe: todas estas palabras tienen un denominador común. ¿Cuál?

3. ¿Con qué países de la siguiente lista relacionas las palabras del ejercicio 2? Cuba, Perú, España, República Dominicana, Uruguay, Argentina, México, Colombia. Algunas pueden relacionarse con más de un país.

4. Lee el texto que sigue y verifica si tus respuestas han sido correctas.

SALSA es el nombre con el que se conoce la música hispanoamericana de baile. Sin embargo, la salsa no es ningún ritmo o estilo concreto, sino una mezcla surgida a principios de la década de los 70 del siglo pasado en los Estados Unidos, a partir de muchos ritmos, sobre todo cubanos pero también colombianos, puertorriqueños, venezolanos y dominicanos, a los que se añadieron las armonías del jazz.

Pervivencia de la música popular

En España y los países de Hispanoamérica se da un fenómeno sociológico interesante: las **modas musicales anglosajonas** no han acabado con la **música popular**. Al contrario, las corrientes musicales tradicionales, fuertemente arraigadas en sus países de origen, se han mezclado con las nuevas corrientes llegadas de los Estados Unidos (**rock'n'roll** y **hip-hop**) para crear productos propios y genuinos, la mayoría con letras en castellano. A continuación vas a realizar un viaje que te permitirá conocer las músicas y los bailes más emblemáticos. Pero ten en cuenta que es imposible abarcar en tan poco espacio la casi infinita diversidad musical hispana.

⊕ *La trompeta es uno de los instrumentos más característicos del sonido de la salsa.*

⊕ *El tango se ha convertido en un baile conocido y practicado en todo el mundo.*

El tango: "Un pensamiento triste que se baila"

Así definió el **tango** el músico argentino Enrique Santos Discépolo. El tango es, al mismo tiempo, un baile y un género musical. Nació en los barrios portuarios y marginales del **Río de la Plata**, sobre todo en las ciudades de **Buenos Aires** (Argentina) y **Montevideo** (Uruguay), a finales del siglo XIX, como una forma de bailar en parejas. En sus orígenes, el tango era un producto híbrido y mestizo, fruto de la fusión de varias tradiciones musicales europeas y africanas. El instrumento más característico del tango es el **bandoneón**, una mezcla de concertina y acordeón, cuadrado y con un sonido particular.

Al principio, el tango era básicamente música y baile. Más tarde se le añadieron letras. Muchas letras de tangos están escritas en un dialecto del Río de la Plata llamado **lunfardo**, que es una mezcla de español e italiano, portugués, francés y lenguas amerindias como el mapuche, el quechua y el guaraní. Algunos poetas argentinos como **J.L. Borges** y **E. Sábato** han escrito letras de tango. Otros, como **J. Gelman**, han encontrado en ellas la inspiración para alguna de sus obras.

El tango se baila en parejas, originalmente solo entre hombres, que ahora son quienes **llevan** (guían los pasos) a la mujer. Es una danza artística con pasos elegantes y complicados que se aprenden y practican en las numerosas escuelas que hay en el Río de la Plata y, actualmente, en muchas otras partes del mundo. Sobre estos tres elementos, **música**, **danza** y **letra**, el tango no ha dejado de crecer hasta llegar a convertirse en seña de identidad argentina y uruguaya.

Uno de los compositores de tangos más importantes fue **Astor Piazzola**. El intérprete que dio a conocer el tango en todo el mundo fue **Carlos Gardel**.

Candombe y cumbia: marcando los pasos

El **candombe** es un ritmo sin letra que se baila en grupo. Nació y se desarrolló en los suburbios de **Montevideo** (Uruguay) sobre la base de los ritmos de los esclavos africanos llegados a América en la época de las colonias.

El candombe está en la base de muchas composiciones de música en Uruguay. Sus instrumentos básicos son tres tambores de distintos tamaños y sonidos, llamados **cuerda de tambores**. A veces se acompañan de otros instrumentos, como la **quijada** (un instrumento de vibración o raspadura), que se llama así porque originalmente era una quijada (medio cráneo) de burro.

⊕ *El candombe suena en el desfile de la Movida Joven en Montevideo.*

En el mes de febrero tiene lugar en el barrio de **Palermo** y en el **Barrio Sur** de Montevideo el **Desfile de Llamadas**, una gran manifestación de candombe en la que numerosas comparsas desfilan tocando y bailando.

La **cumbia** es el ritmo bailable más representativo de **Colombia**. Tiene raíces africanas y aportaciones indígenas y españolas. De África provienen los tambores, que son tres. La herencia indígena está en las flautas: la **flauta macho** (con dos orificios) y la **flauta hembra** (con cinco), llamadas **gaitas**, y la **flauta de millo** (hecha de caña). También se usan las **maracas** y la **guacharaca** (un cilindro que se raspa). La aportación española se encuentra en los vestidos, sobre todo en la falda o **pollera** de las mujeres.

En un principio la cumbia no tenía letra, solo se bailaba. Las bailarinas llevaban velas en las palmas de sus manos, como en un baile ritual. Esta forma de tocar y bailar es lo que se conoce como **cumbia clásica**.

La cumbia con letra es mucho más reciente y es la que se conoce en todo el mundo. Se ha popularizado en muchos países americanos, adaptando en cada país formas propias a partir del ritmo básico. También se encuentran ritmos mestizos, como la cumbia-rock o la techno-cumbia, adaptaciones y mezclas de la cumbia con otros géneros.

La pollera colorá es el título de una de las cumbias más famosas. Entre los grupos musicales colombianos de cumbia destaca **La Sonora Dinamita**. Como no podía ser de otro modo, **Shakira**, la artista pop más conocida de Colombia, tiene en su repertorio varias cumbias y otras composiciones claramente influenciadas por este ritmo.

⊕ *Bailarines de Cumbia en Barranquilla (Colombia).*

LA MÚSICA DE GARCÍA MÁRQUEZ

El vallenato es un ritmo nacido en el Caribe colombiano, concretamente en la zona de Valledupar (de ahí su nombre), localidad al noroeste del río Magdalena. El vallenato se toca con el acordeón diatónico, la guacharaca y el cajón (tambor pequeño), y se acompaña de letras de amor o satíricas. Cuenta con una larguísima tradición popular y cada año convoca en Valledupar a miles de espectadores y cientos de músicos en el Festival de la Leyenda Vallenata. Las canciones de Carlos Vives, el famoso cantante colombiano, permitieron la entrada de las canciones vallenatas en el mundo de la música comercial. Otro convencido embajador de este género es el escritor colombiano y Premio Nóbel Gabriel García Márquez, nacido en una zona próxima al río Magdalena. García Márquez es amigo personal de muchos músicos y asistente entusiasta al festival anual de Valledupar. El escritor ha llegado a afirmar que *Cien años de soledad* es un vallenato de 400 páginas.

¡Ay ay ay, el merengue, qué rico, mami!

El **merengue** es un ritmo originario de La República Dominicana, concretamente de la región de **Cibao**. En un principio era solo un ritmo que los esclavos africanos bailaban incluso con grilletes en los tobillos, y que los pobres de la isla tocaban y bailaban para divertirse en sus fiestas. Luego se puso de moda entre la burguesía. Actualmente, el merengue también tiene letras y es uno de los ritmos y bailes más populares de las orquestas latinas. El compositor y cantante **Juan Luis Guerra** contribuyó a su difusión en todo el mundo con sus canciones *Ojalá que llueva café* o *La bilirrubina*.

La banda sonora del amor: el bolero

El **bolero** es un ritmo bailable y con letra, que llegó a **Cuba** desde España en el siglo XIX. En Cuba se enriqueció con los **ritmos africanos** y en la primera mitad del siglo XX llegó a México, donde se configuró tal y como se conoce actualmente. De ahí se extendió al mundo entero.

El bolero lo tocan orquestas enteras con un gran número de instrumentos, pero lo más importante es la voz del cantante, que tiene un ritmo pausado. Los boleros hablan de amor, lo que lo hace ideal para bailar en pareja y para rememorar un amplio abanico de situaciones románticas.

Estas dos características son el secreto del enorme éxito del bolero en todo el mundo hispano. El bolero goza de gran popularidad en Cuba, donde existe una variante llamada **danzón**, pero también en Venezuela, Puerto Rico, México, Argentina y España.

El bolero *Bésame mucho*, de Consuelo Velázquez, es uno de los más conocidos y que más versiones tiene en todo el mundo. Otros boleros famosos tienen origen mexicano, como *Júrame* (María Grever) y *Solamente una vez* (Agustín Lara). Entre los artistas de bolero con más repercusión internacional están **Los Panchos**, **María Dolores Pradera** y el dúo **Los Sabandeños**.

Canciones para contar

La **música norteña** es la música originaria del norte de México. Nació en el siglo XIX fruto del cruce de dos influencias: la música tradicional de los granjeros de la zona (**rancheros**), por un lado, y las **polcas** tradicionales de los inmigrantes centroeuropeos llegados al país, por el otro.

La música norteña comprende las **rancheras** y los **corridos**. Las primeras cuentan historias sentimentales y románticas, no siempre felices. Los segundos cuentan sucesos históricos o contemporáneos: hazañas de héroes e historias de ladrones y de contrabandistas (entre ellos los llamados **narcocorridos**). Muchas veces tienen moraleja.
Las canciones se pueden bailar y están interpretadas por músicos que tocan el **acordeón**, el **contrabajo**, la tarola (un tambor bajo y estrecho) y el **bajo sexto** (una guitarra de doce cuerdas). Los conjuntos tradicionales se llaman **mariachis**.

⬆ *Los mariachis son bandas de músicos originarias del estado de Jalisco (México).*

CANTOS DE IDA Y VUELTA

La rumba y el bolero son lo que se llama "cantos de ida y vuelta", pues han viajado a uno y otro lado del Atlántico. Primero fueron los españoles los que llevaron a Cuba algunos de los ritmos populares europeos, que se mezclaron con los ritmos africanos de la isla. Después, los españoles que habían emigrado volvieron a España impregnados de los nuevos ritmos. Estos germinaron de nuevo con nuevos instrumentos, pero siempre con los mismos ritmos y los patrones métricos y temáticos de sus letras tradicionales.

⊕ *La tambora y la güira son los dos instrumentos musicales que marcan el ritmo en el merengue.*

Desde el norte de México, esta música se ha ido extendiendo al resto del país y se ha convertido en una de las más conocidas y populares tanto en el territorio mexicano como entre la comunidad mexicana de los Estados Unidos. Actualmente, los músicos norteños incorporan a sus formaciones instrumentos procedentes del rock. El resultado es una música tradicional con ritmos modernos. Entre los conjuntos más conocidos están **Los Tigres del Norte**, intérpretes de numerosos corridos y narcocorridos. Entre las cantantes de rancheras más famosas están **Chavela Vargas**, **Rocío Dúrcal** y **Lila Downs**.

La rumba: la música más viajera

La **rumba** es un ritmo cubano con letra. Su origen está en las danzas africanas que se bailaban en los barrios negros de **La Habana**. Esta rumba originaria (la más conocida por su ritmo frenético es el **guaguancó**) utiliza como instrumentos tres **tumbadoras** de distintos sonidos y dos palillos que golpean una caja. Las letras suelen ser melancólicas y tienen una parte de improvisación y otra de repetición. En general son letras tristes, que se contraponen a unos ritmos alegres y bailables. La cantante **Celia Cruz** fue la gran divulgadora de la rumba cubana.

⊕ *El flamenco es un género de música y de danza español creado e interpretado muchas veces por gitanos.*

Los españoles que volvieron al país después de haber emigrado a Cuba trajeron consigo la rumba. En España se hace **rumba flamenca** y **rumba catalana**. La primera se canta con **palmas**, **cajón flamenco**, **castañuelas** y **guitarra flamenca**. La segunda es propia de los gitanos catalanes del barrio de Gracia de Barcelona. Tiene mucho de rumba flamenca, pero se acompaña de más instrumentos (teclados electrónicos, bajo eléctrico, piano, vientos) y muchas de sus letras están, además de en español, en catalán y en **caló**, la lengua de los gitanos españoles. Sus representantes más conocidos son **Peret** y **El Gato Pérez**. Existen también numerosas bandas jóvenes de nuevos rumberos que reivindican la rumba fusión, la rumba hip-hop, la rumba flamenca o la rumba con ritmos colombianos.

Cante, toque y baile

El **flamenco** es el género popular español más conocido internacionalmente. El flamenco es música, cante y baile. Nació en Andalucía en el siglo XVIII entre los andaluces de **etnia gitana**. El flamenco tiene tres elementos: el **cante** (la canción en sí; quien la interpreta es el **cantaor** o la **cantaora**), el **toque** (el sonido de la guitarra) y el **baile** (a cargo del **bailaor** o **bailaora**).

La mezcla de las canciones y músicas de los gitanos con las músicas y cantos populares andaluces no gitanos (**payos**) se realizó en los **cafés cantantes** (tabernas en las que había actuaciones musicales) a lo largo del siglo XIX, configurando las características actuales más importantes de este género.

Hasta hace relativamente poco tiempo el flamenco era un género con dos versiones y públicos muy opuestos: un flamenco muy puro que solo escuchaban los entendidos,

LOS PALOS DEL FLAMENCO

Cada una de las modalidades del flamenco recibe el nombre de palo. Hay más de 30 palos y se clasifican según su compás musical y la métrica de sus estrofas. Estos son algunos de los palos más famosos: soleá, seguiriya, bulería, fandango, farruca, tanguillo, sevillana, garrotín y malagueña.

⊕ *Laura Ríos en el XV Festival de Cante Grande "Antonio Álvarez" de El Saucejo (España).*

y un flamenco muy comercial y musicalmente flojo que se hacía para el consumo de los turistas. En la década de los 70, el cantaor gitano **Camarón de la Isla**, acompañado del guitarrista **Paco de Lucía**, revolucionó el flamenco "desde dentro" y lo acercó al gran público sin perder la esencia ni la calidad.

Algunos cantaores importantes de flamenco son **Enrique Morente**, **Mayte Martín** y **Miguel Poveda**; entre los bailaores, destacan **Sara Baras** y **Antonio Canales**; y como guitarristas, **Tomatito** y **Juan "Habichuela"**.

El flamenco se ha renovado y mezclado con nuevas tendencias y ritmos musicales (rock, hip-hop). Un ejemplo de esa mezcla lo tenemos en el grupo **Ojos de Brujo**.

Pop-rock con ñ

En la década de los 50, la irrupción del rock'n'roll hizo que muchos grupos hispanohablantes empezaran a cantar y a componer en inglés. Sin embargo, unos años después, en la década de los 60, otros grupos empezaron, de forma minoritaria, a hacer rock en español. Entre los pioneros destacan el artista mexicoamericano **Ricardo**

RIMAS DE PROTESTA

El hip-hop, al igual que el rock, es una moda anglosajona que se ha expandido en pocos años. Cada país hispanohablante tiene raperos que componen y cantan en español. Muchos de ellos tienen una actitud vital de rebeldía, denuncia y compromiso social, hasta tal punto que los han alineado con los cantautores de protesta. Destacan los nombres de LeguaYork (Chile), BocaFloja (México), Calle13 (Puerto Rico), El Chojín, Tote King y La Mala Rodríguez (España), Orishas (Cuba) y FlacoFlow & Melanina (Colombia).

Valenzuela, conocido como **Ritchie Valens**, con *La Bamba* (que se considera la primera canción rock en español), el grupo mexicano **Los Teen Tops**, con Enrique Guzmán como vocalista (es en México donde se hacen las primeras versiones de canciones de Elvis Presley y Paul Anka), y los rockeros **Lito Nebbia** (Argentina) y **Miguel Ríos** (España).

Desde los años 70 no han dejado de aumentar tanto las bandas como los intérpretes de pop-rock en español, en todas sus variantes. Muchos de sus intérpretes son conocidos internacionalmente, ya que se trata de un tipo de música con mucha repercusión mediática. Algunos han bebido de las fuentes de la música popular en sus países de origen, como Shakira y Juanes (Colombia).

Otros nombres de intérpretes y bandas son Enrique Iglesias, Alejando Sanz, Manu Chao, Mecano, La oreja de Van Gogh y Extremoduro (España); Jorge Drexler (Uruguay); Julieta Venegas, Maná, Molotov, Café Tacuba y Maldita Vecindad (México); Fito Páez, Andrés Calamaro, Karamelo Santo y Soda Stereo (Argentina); y Aterciopelados (Colombia). ⫿⫿

RECOMENDACIONES

🔊 La web del tango: www.esto.es/tango
La web del flamenco: www.flamenco-world.com
Rock en español: www.rockenespanol.com
Revista de nuevas tendencias musicales en español: www.zonadeobras.com
Página de rumba catalana: www.calarumba.com

📕 *García Márquez canta un bolero* (2006), de César Coca (ensayo sobre las obras de García Márquez en clave musical).

🎥 *El acordeón del diablo* (2000), Stefan Schwietert.
Buenavista Social Club (1999), Wim Wenders.
Flamenco (2004), Carlos Saura.
Camarón (2005), Jaime Chavarri.
Tango (1998), Carlos Saura.
Flamenco flamenco (2009), Carlos Saura.
Vengo (2001), Toni Gatlif.

5. Marca el recorrido de bailes y músicas que se hace en el texto sobre un mapa de América y de Europa, empezando por el tango.

6. Después de leer el texto, ¿crees que del mismo se puede deducir la afirmación de que "todas las músicas son mestizas"? ¿Por qué? Justifica tu respuesta.

7. ¿Hay algún baile de tu país que se parezca a alguno de los descritos en el texto o que haya recibido alguna influencia de ellos?

Az 8. En parejas, buscad información complementaria en una enciclopedia o en internet sobre los instrumentos musicales que aparecen en el texto y clasificadlos según sean de viento, de cuerda, de vibración, de percusión o de teclado. Asociadlos con los bailes o músicas del texto.

	Instrumentos musicales	Bailes o músicas
Viento	bandoneón	tango
Teclado		
Percusión		candombe
Cuerda	guitarra flamenca	
Frotación o vibración		
		rumba flamenca

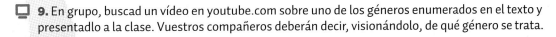

9. En grupo, buscad un vídeo en youtube.com sobre uno de los géneros enumerados en el texto y presentadlo a la clase. Vuestros compañeros deberán decir, visionándolo, de qué género se trata.

10. ¿Qué músicas y qué bailes se escuchan y se bailan en tu país? ¿En qué contexto? ¿Cuál es la opinión de los jóvenes acerca de este tipo de música? Redacta un pequeño texto exponiéndolo.

CINE CLÁSICO Y CONTEMPORÁNEO EN ESPAÑOL

1. ¿Habéis visto últimamente películas en español? ¿Cuáles? ¿Qué películas os han gustado más? ¿Recordáis nombres de actores o directores de cine en español? Haced una lista.

El cine es un arte muy ligado a la potente industria cinematográfica de los Estados Unidos. Las películas producidas fuera de este país tienen muy poca **distribución** fuera de sus propias fronteras, lo cual contrasta con la gran **difusión** internacional de las películas estadounidenses.

Los **Oscar,** los festivales de **Cannes** y **Venecia** y la participación en producciones internacionales han hecho que algunos nombres del panorama cinematográfico hispano, como **Pedro Almodóvar**, **Salma Hayek**, **Antonio Banderas**, **Penélope Cruz**, **Javier Bardem** o **Guillermo del Toro**, sean bastante conocidos.

El pionero del cine en español

Luis Buñuel (Calanda, España, 1900-Ciudad de México, México, 1983) fue un innovador adelantado a su época, compañero del pintor **Salvador Dalí** y de los poetas **Federico García Lorca** y **Rafael Alberti**. Con Salvador Dalí rodó dos cortometrajes llenos de imágenes surrealistas, anticlericales y provocadoras: *Un perro andaluz* (1929) y *La edad de oro* (1930). Debido a sus ideas políticas, tuvo que **exiliarse** a México durante la Guerra Civil española. Allí obtuvo la nacionalidad mexicana.

Años más tarde, aunque seguía residiendo en México, rodó en España y en Francia. Sus principales películas de este periodo son *Tristana* (1970), *Viridiana* (1961) y *Le charme discret de la bourgeoisie*, film con el que en 1972 obtuvo el **Oscar a la Mejor Película de Habla no Inglesa**.

⬆ *Luis Buñuel trató la pobreza y la desigualdad social en muchas de sus películas.*

LOS OLVIDADOS, de Luis Buñuel, es un documental sobre la pobreza en la capital de México. La película obtuvo el Premio al Mejor Director en el Festival de Cannes de 1951 y es una de las dos únicas películas declaradas Patrimonio de la Humanidad por la Unesco (la otra es *Metrópolis* de Fritz Lang).

⬇ *Arturo Ripstein cuenta con más de 30 películas en su filmografía.*

El cine en los tiempos oscuros: Argentina, Chile y España

Las dictaduras suponen **censura** y adoctrinamiento. Las producciones de cine durante los años de las dictaduras española (1939-1975), argentina (1976-1983) y chilena (1973-1990) se caracterizan por su frivolidad, mediocridad y por su función de **propaganda ideológica**.

Uno de los directores españoles más destacados de la época, a pesar de los recortes de la censura, fue **José Antonio Bardem** (1922- 2002). Suyas son *Muerte de un ciclista* (1955) y *Calle Mayor* (1956). Otros directores destacados son **Luis G. Berlanga** (1921) y **Carlos Saura** (1932). Berlanga, en *Bienvenido Mister Marshall* (1953) y *El Verdugo*

⊕ *Pedro Almodóvar es un referente en el cine español actual (aquí, junto a Tim Burton).*

(1963), pudo hablar de lo que ocurría en el país utilizando la **parodia** y **frases con segundos sentidos**. Carlos Saura, por su parte, pudo hacerlo en *La Caza* (1965) y *El jardín de las delicias* (1970) utilizando **símbolos y metáforas**.

En Chile, la película más representativa durante la dictadura fue *La batalla de Chile* (1973-79) un documental de **Patricio Guzmán** (1941) sobre la historia del país antes del **golpe de estado de Pinochet**. La película tiene tres partes: *I. La insurrección de la burguesía*, *II. El golpe de estado*, y *III. El poder popular*. La película fue montada fuera de Chile, y en su propio país solo pudo verse a partir de 1990.

La dictadura argentina truncó la trayectoria de calidad que había iniciado medio siglo antes el cine nacional. A partir de 1976, en el país solo se pudo hacer películas que colaboraran ideológicamente con el **régimen militar**. Uno de los directores más destacados de esta época fue **Emilio Vieyra** (1921), creador desde 1974 a 1986 de una serie de once películas que combinaban humor, acción y propaganda, protagonizadas por tres **superagentes** que luchaban contra el mal y defendían el orden.

Un remanso: México

La década de los años 40 es la llamada **edad de oro** del cine mexicano. Esta época coincide con la **bonanza económica** mexicana y la participación de los Estados Unidos en la II Guerra Mundial. Los nombres de los directores más famosos de esta época son el ya citado **Luis Buñuel**, y **Emilio "el Indio" Fernández** (1903-1986) quien con sus películas *María Candelaria* (1943) y *La perla* (1948) obtuvo varios premios internacionales. También destacan directores como **Fernando de Fuentes** (1894-1958) con

Vámonos con Pancho Villa (1936) y *Doña Bárbara* (1943); **Alejandro Galindo** (1906-1999) con *Campeón sin corona* (1945) y *Una familia de tantas* (1948), o **Ismael Rodríguez** (1917-2004), con *Santa* (1931) y *Nosotros los pobres* (1947). Años después, la recuperación de la economía de los Estados Unidos y el auge de su industria cinematográfica supusieron el declive de las producciones mexicanas. Aún así destacan nombres como el de **Arturo Ripstein** (1943), con *Profundo carmesí* (1996) o *El castillo de la pureza* (1977).

Explosión de Libertad : España y Argentina

El final de las dictaduras supuso la recuperación de la libertad de expresión. Algunas producciones cinematográficas se dedicaron a contar las historias que hasta entonces no se habían podido explicar, como hizo el director argentino **Luis Puenzo** (1946), que con *La historia oficial* (1984) ganó un Oscar. O como Adolfo Aristarain (1943), con *Un lugar en el mundo* (1991) y *Lugares comunes* (2002).

Pedro Almodóvar (1949) es el director español de cine más conocido internacionalmente. Sus películas reciben influencias de la comedia americana y del cine surrealista y provocador de Buñuel. Su personalísima mirada sobre la sociedad española, los **conflictos sentimentales** y su propia autobiografía le han hecho merecedor de dos premios Oscar por *Todo sobre mi madre* en 1999 y *Hable con ella* en 2002. Otras películas conocidas de Almodóvar son *¿Qué he hecho yo para merecer esto?* (1984), *Mujeres al borde de un ataque de nervios* (1988) y *Los abrazos rotos* (2009).

⊕ *Guillermo del Toro, director de cine fantástico, ha situado algunas de sus películas en la época de la Guerra Civil española.*

↪ *En su extensa carrera, Carlos Saura ha recibido numerosos premios internacionales.*

Un punto y aparte: Cuba

La **revolución cubana** de 1959 significó un cambio radical en todos los aspectos de la vida del país. La política cultural se centró en la propaganda ideológica. Consecuencia de ello fue la creación del **Instituto Cubano del Arte y la Industria Cinematográficos** (ICAIC), organismo que impulsa el cine cubano, siempre al servicio de la revolución.

Pasado un primer periodo de creatividad en el que destacan *Memorias del subdesarrollo* (1968), de **Tomás Gutiérrez Alea** (1928-1996) y documentales como *Now* (1965), de **Santiago Álvarez** (1919-1998), el cine cubano entró en declive. Pero desde los años 80 se producen de nuevo películas interesantes, que a veces contienen **críticas** a algunos aspectos del régimen cubano. Un ejemplo de esta nueva corriente son las películas de Tomás Gutiérrez Alea *Fresa y chocolate* (1993) y *Guantanamera* (1995).

Nuevas miradas

Dos factores han propiciado la aparición y sobre todo, la repercusión internacional de los nuevos nombres del cine hispano: la proliferación de escuelas de cine y las nuevas tecnologías de la imagen. Algunos de los directores hispanos más destacados del panorama actual son **Alejandro González Iñárritu** (1963), con *Amores perros* (1999) y *Babel* (2006); **Guillermo del Toro** (1964), con *El espinazo del diablo* (2001) y *El laberinto del fauno* (2006); **Icíar Bollaín** (1967), con *Flores de otro mundo* (1999) y *Te doy mis ojos* (2003); y **Alejandro Amenábar** (1972), con *Mar adentro* (2004). ▮▮▮

ACTORES Y ACTRICES

HÉCTOR ALTERIO. Buenos Aires, Argentina, 1929. *La historia oficial* (1985), *El hijo de la novia* (2001).

FEDERICO LUPPI. Ramallo, Argentina, 1936. *Un lugar en el mundo* (1992), *El laberinto del fauno* (2006).

CARMEN MAURA. Madrid, España, 1945. *¿Qué he hecho yo para merecer esto?* (1984).

RICARDO DARÍN. Buenos Aires, Argentina, 1957. *Nueve Reinas* (2000), *El hijo de la novia* (2001).

CECILIA ROTH. Buenos Aires, Argentina, 1958. *Martín Hache* (1997), *Todo sobre mi madre* (1999).

ANTONIO BANDERAS. Málaga, España, 1960. *Entrevista con el vampiro* (1994), *La máscara del Zorro* (1998).

BENICIO DEL TORO. San Germán, Puerto Rico, 1967. *Traffic* (2000), *Ché, el argentino* (2009).

JAVIER BARDEM. Las Palmas de Gran Canaria, España 1969. *Mar adentro* (2004), *No Country for Old Men* (2008).

PENÉLOPE CRUZ. Alcobendas, España 1974. *Volver* (2007), *Vicky Cristina Barcelona* (2008).

GAEL GARCÍA BERNAL. Guadalajara, México, 1978. *Amores perros* (2000), *Diarios de motocicleta* (2004) .

DIEGO LUNA. Ciudad de México. México, 1979. *Y tu mamá también* (2001), *Frida* (2002).

⊕ *Benicio del Toro en un cartel de la versión japonesa de la película* Che, el argentino.

RECOMENDACIONES

Cineteca Nacional de México:
www.cinetecanacional.net
Más de cien años de cine mexicano:
www.cinemexicano.mty.itesm.mx/
Portal de Cine del Gobierno Argentino:
www.argentina.gov.ar/argentina/portal
Portal de Cine cubano: www.cubacine.cu
Portal de cine y audiovisuales del ministerio de Cultura español: www.mcu.es/cine
Cine español en un clic: www.cineario.com
Cine on-line: www.filmotech.com

El cine español contado con sencillez (2007), de A.C. Martínez Rodríguez, E. Castro-Villacañas y J. Zavala.

2. De los nombres que habéis anotado en la actividad 1, ¿cuáles aparecen en el texto?

3. Une las palabras de la primera columna con la información de la segunda:

1. Alejandro Amenábar
2. *Amores perros*
3. Arturo Ripstein
4. *Bienvenido Mister Marshall*
5. Carlos Saura
6. Claudia Llosa
7. *El laberinto del fauno*
8. *Fresa y chocolate*
9. Gael García Bernal
10. Icíar Bollaín
11. *La batalla de Chile*
12. *La historia oficial*
13. *Mujeres al borde de un ataque de nervios*
14. *Los olvidados*
15. Luis Buñuel
16. Penélope Cruz

a) Actor mexicano, protagonista de *Diarios de motocicleta*
b) Actriz española, protagonista de *Volver*
c) Cine cubano que ironiza sobre la situación de la isla
d) Cine español satírico durante la dictadura
e) Cine mexicano de finales del siglo XX
f) Director de cine amigo de García Lorca y Dalí
g) Director español de *El jardín de las delicias*
h) Director mexicano de la adaptación al cine de *El coronel no tiene quien le escriba*, de García Márquez
i) Directora española de cine
j) Joven director español premiado con un Oscar
k) Joven directora de cine peruana
l) Película argentina premiada con un Oscar
m) Película chilena que narra los años anteriores al golpe de estado de Pinochet.
n) Película de Pedro Almodóvar
o) Película documental de Buñuel proclamada patrimonio de la Humanidad por la Unesco
p) Película española que retrata la dictadura

4. Busca en el texto: A) palabras para calificar películas, B) profesiones relacionadas con el cine, C) técnicas y acciones de rodaje, D) industria del cine y E) tipos de películas.

5. A. ¿Qué película de las citadas en el texto te gustaría ver? Entra en su página de internet, mira los *trailers* y elige la que más te haya interesado. Escribe una pequeña redacción en la que justifiques tu elección.

"A mí me gustaría poder ver… porque… he buscado información en internet y me he dado cuenta de que…"

B. Oralmente, intenta convencer a tus compañeros para que vean la película. Para ello, haz un resumen de su contenido y aporta tus argumentos de por qué crees que es interesante.

6. Escribe un pequeño texto sobre el cine de tu país utilizando, al menos, diez de las palabras de las anteriores actividades. Deberás hacer un breve recorrido cronológico desde los inicios de este arte hasta nuestros días y citar los directores, películas y actores más importantes.

7. En parejas, haced una revista o un blog de crítica de cine. Primero, cada pareja deberá buscar en la mediateca una de las películas citadas en el texto. Deberéis visionarla por vuestra cuenta, leer las críticas que aparezcan en webs especializadas y meditar vuestra propia opinión. Por último, escribiréis esta en la revista o el blog colectivo.

8. Elegid una película que a todos os gustaría ver como actividad de clase. Luego, organizad un debate. Primero elegid un grupo moderador que prepare las preguntas para el resto de la clase. Luego, decidid los tiempos máximos de intervención y las normas del debate (no repetir, añadir argumentos a lo que se dice, resumir, sintetizar). Por último, celebrad el debate.

RADIO, TELEVISIÓN E INTERNET

1. ¿Conocéis programas de radio y de televisión en español? ¿De qué tratan? ¿Visitáis regularmente páginas web en español? ¿Participáis en alguna red social: *Facebook, Twitter*...?

La radio, el medio más popular

La radio fue el primer medio de comunicación de masas. En sus inicios, las emisoras fueron puestas en marcha por **radioaficionados**; luego, las radios pasaron a ser públicas. Después aparecieron las radios comerciales y, posteriormente, los satélites de comunicaciones, las radios de **frecuencia modulada** (FM), las radios locales y las emisoras especializadas. Actualmente, la tendencia a nivel mundial es la de integrar la radio en internet.

Argentina, el país pionero de la radio en Español

Las primeras retransmisiones regulares de radio en español empezaron en **Buenos Aires**, en el año **1920**, con la difusión radiada de la ópera *Parsifal* de Richard Wagner. Solo habían pasado cuatro años desde la inauguración en Nueva York de la **primera emisora de radio del mundo**. También desde Argentina, en 1924, se retransmitió un partido de fútbol por primera vez en directo por la radio: la final de los Juegos Olímpicos entre Argentina y Uruguay. En esta misma época, México (1921), Chile (1922), España (1923) y Colombia (1929) tuvieron sus primeras emisoras.

La radio en España

Las cadenas radiofónicas más importantes por número de oyentes son la **Cadena SER**, la **COPE**, **Onda Cero** y

Estudios de Radio Nacional de España.

LT22 RADIO LA COLIFATA

En lunfardo, la jerga que se habla en el Río de la Plata, *colifato* significa "loco querible". La Colifata es el nombre de la emisora de radio FM que conducen los pacientes del hospital psiquiátrico José T. Borda de Buenos Aires, Argentina.

Este peculiar proyecto radiofónico nació en 1991 dentro de un programa de recuperación de la autonomía de los internos del hospital. Si bien en un principio no contó con apoyos institucionales, sí recibió ayuda de algunas empresas privadas. La promoción del producto Aquarius, una bebida de la compañía Coca-Cola y el apoyo del cantante Manu Chao (que ha producido dos discos con la emisora) han hecho que La Colifata sea conocida y escuchada en todo el mundo hispano. www.lacolifata.org

RNE, que cuenta a su vez con varias emisoras de ámbito nacional: Radio 1, Radio Clásica, Radio 3, Radio 5 Todo Noticias y Radio Exterior, que emite programas para los españoles que viven fuera del país. Pero además hay emisoras autonómicas, y de ciudades, pueblos o de colectivos concretos, como grupos feministas, minorías étnicas o lingüísticas. También hay **emisoras especializadas**: radios educativas, musicales, etc.

Días de radio para la historia

El **11 de septiembre de 1973**, los chilenos pudieron escuchar por **Radio Magallanes** el mensaje de despedida de su presidente, **Salvador Allende**, que estaba sitiado en su palacio presidencial por los militares al mando de Pinochet. Fueron sus últimas palabras al pueblo chileno antes de suicidarse y momentos antes de que el palacio fuera asaltado y la emisora cerrada.

El **23 de febrero de 1981**, un grupo de militares entró en el **Congreso de los Diputados** español para secuestrar a los congresistas allí reunidos. Como la sesión del congreso estaba emitiéndose en directo por la radio, los españoles pudieron oír los gritos, golpes y disparos que se produjeron en el interior del Hemiciclo.

⬆ *Repetidor de Radio Televisión Española.*

LA TELEVISIÓN

La televisión nació en los **años 50** del siglo pasado. México tuvo una programación regular en 1950; Argentina, al año siguiente; Venezuela, en 1952; España, en 1956. En estos primeros años, la televisión era en **blanco y negro**, solo emitía unas pocas horas al día y su cobertura era casi local. Además, los aparatos receptores eran muy caros y la gente se reunía en lugares públicos para verla. Con el tiempo, la televisión ha dejado de ser un **objeto de lujo** y ha llegado a todos los hogares.

Con el tiempo se ha pasado de una situación de **monopolio de las televisiones públicas** a la aparición de las **cadenas privadas**. La competencia entre estas ha comportado la lucha por la audiencia y por la publicidad.

Etapas de la televisión en español

La historia de la televisión en español ha pasado por tres fases: en la primera, entre los años 1950 y 60, la televisión dependía de las **empresas norteamericanas**, que exportaban y vendían sus programas a las recién creadas televisiones del cono sur. En la segunda fase (años 70 y 80) la **industria hispanoamericana** empezó a producir y exportar sus propios programas. La tercera fase (a partir de los años 80 hasta nuestros días) se caracteriza por la emisión de programas **vía satélite y por cable**, y por la formación de grandes **empresas multinacionales** de comunicación, fruto de la unión de varias productoras nacionales.

Las telenovelas

Las telenovelas son un producto televisivo típicamente latinoamericano. Son narraciones melodramáticas, ficticias pero inspiradas en hechos reales, que se emiten periódicamente; una especie de **novela rosa por entregas**. Sus antepasados son los **folletines** del siglo XIX y las **fotonovelas** y las **radionovelas** de la primera mitad del siglo XX. Las telenovelas de producción española se diferencian de

las latinoamericanas por su larga, incluso indefinida, duración. La serie *Cuéntame*, una telenovela histórica que refleja los cambios que han tenido lugar en la historia reciente de España a través de la vida de una familia, se emite desde el año 2001. En cambio, las telenovelas latinoamericanas no suelen pasar de los 100 capítulos y duran solo de seis meses a un año.

Las telenovelas reciben también el nombre de novelas o *telerromances*; en Colombia se llaman *seriados*; en España y Venezuela, *culebrones*; en Argentina, *tira*; en México, *telenovelas* o *comedias*. Los países latinoamericanos que más telenovelas exportan son **México**, **Argentina**, **Brasil**, **Venezuela** y **Colombia**. Algunos títulos originales de telenovelas que han dado la vuelta al mundo son: *Los ricos también lloran* (México); *Aguas mansas* (Colombia); *Kassandra* (Venezuela) y *Papá corazón* (Argentina).

Betty, la fea

Betty tiene 26 años, varios títulos universitarios, es una brillante ejecutiva, inteligente y muy, muy fea. Su fealdad le causa desventuras y problemas en su actividad laboral que ella resuelve con **inteligencia** y **sentido del humor**. Este es el planteamiento de la telenovela colombiana *Yo soy Betty, la fea*, uno de los **mayores éxitos televisivos** de la historia del género. Esta telenovela ha sido exportada a varios países, y en muchos de ellos se han realizado versiones con el mismo guión **adaptado a sus características culturales**. Betty es, en definitiva, la **antítesis** de las heroínas de amor romántico que inundan las pantallas.

⬇ *Anuncio luminoso de Betty, la fea en Times Square (Nueva York).*

INTERNET, LA INTEGRACIÓN

El uso de internet está creciendo a pasos de gigante en todos los países del mundo, y España y los países latinoamericanos no son una excepción. internet permite la fácil **integración de la radio y la televisión**. Otra de sus ventajas son su inmediatez y su capacidad de almacenar programas que pueden ser escuchados o visionados en el orden que quiera el usuario (**radio y televisión a la carta**). Cada vez más hay más emisoras y canales de televisión que emiten por internet.

Internet en español

*"El español es la **cuarta lengua de uso** [en internet] por número de usuarios conectados, con el 9%, tras el inglés, el chino y el japonés. La demanda de documentos en español es también la cuarta en importancia, aunque el español ocupa una posición inferior en cuanto a la oferta, es decir, al número de documentos publicados".* Son datos aportados por el profesor Ramón Tijeras en el IV Congreso de la Lengua Española. Los nombres españoles o hispanoamericanos más buscados son **Picasso**, **Dalí** y **Miró** en arte; **Shakira** y **Ricky Martin** en música; y **Pablo Neruda** en literatura.

La blogosfera en español

Los **blogs** o **bitácoras**, también llamados weblogs, son páginas de web personales, cuadernos de notas escritos por usuarios que desean comunicar y compartir sus experiencias profesionales o emocionales, sus aficiones, sus descubrimientos literarios o musicales, etc. Sus características son la posibilidad de **actualización** y de **organización** de los contenidos, y la **facilidad de publicación** y distribución. Son los continuadores de la tradición literaria de los diarios personales. El conjunto de blogs en internet forma la llamada *blogosfera*.

⊕ *El español es la cuarta lengua más usada en internet.*

En los siguientes blogs, profesores y alumnos de español intercambian material e información:

Cine: www.cineele.blogspot.com
Amor y pedagogía: http://deamorypedagogia.blogspot.com
Palabras tendidas: http://palabrastendidasalviento.blogspot.com
Uso de canciones en las clases de español:
http://profespagnol.blogspot.com

Según un estudio realizado recientemente por el Observatorio de la Blogosfera, en el mundo existen más de **120 millones de blogs**, y se crean **120.000** blogs más cada día. Solo el 4% de los blogs están en español. Por nacionalidades, los españoles son los autores mayoritarios, con el 46%. Le siguen los mexicanos con el 14%, los argentinos con el 9% y los chilenos con el 8%.

Redes Sociales

Una red social virtual es un espacio estructurado que permite la comunicación y el intercambio de todo tipo de información, fotos y vídeos. Las redes más famosas son *Twitter, Myspace, Delicious* y *Facebook*, que cuenta con más de 300 millones de usuarios en todo el mundo.

Páginas para aprender español

El Centro Virtual Cervantes: página web creada para la difusión de la lengua española y las culturas hispánicas. **Página de la Real Academia de la Lengua Española**: ofrece información sobre todas las academias de la lengua española en el mundo. También se puede consultar en ella su diccionario y el Diccionario Panhispánico de Dudas. **Educ.ar**: es el portal educativo del Estado Argentino. Ofrece material de apoyo a maestros y profesores de todas las materias. |||

RECOMENDACIONES

🎬 *Historias de la radio* (1955), J.L. Saenz de Heredia.
La televisión y yo (2003), Diego di Tella.

📖 *Historia de la radio en España* (2001), A. Balsebre.
¡Qué onda con la radio! (1997), Romeo Figueroa.
Al fin solos... La nueva televisión del MERCOSUR (2000), Luís A. Albornoz (coord.)
Historias de la televisión en América Latina (2002), Guillermo Orozco (coord.).
Una historia de la televisión en España. Arqueología y Modernidad (1992), Manuel Palacio.
La galaxia internet (2001), M. Castells.

2. Sin volver a leer el texto, anota tres informaciones que recuerdes: una relativa a la radio; otra, a la televisión; y una tercera, a internet. Luego, compara tus notas con las de tus compañeros y, juntos, reconstruid las informaciones del texto que podáis recordar. Finalmente, comparad vuestra lista con el texto original.

Az 3. A. En parejas, escribid la definición de las siguientes palabras:

| Retransmisión | Emisora | Programación | Televisión digital |

| Satélite de comunicaciones | Cadena privada | Cadena pública |

| Medio de comunicación de masas | Audiencia | Radioaficionado |

B. Poned en común vuestras definiciones y, entre todos, elegid las más exactas.

4. Visita www.rtve.es y responde a las siguientes preguntas:

- ¿Cuántas cadenas tiene?
- ¿A qué hora se emite el Telediario de TVE1 en la Península?
- ¿Qué diferencia de horario hay con respecto a las noticias que se emiten en tu país?
- ¿Qué programas se emiten también en tu país? ¿Se llaman igual?
- Anota alguna cosa que te haya sorprendido especialmente y cuenta por qué.

5. Entra en www.antena3tv.com/betty/web . ¿Por qué crees que esta serie tiene tanto éxito? ¿Existe una versión en tu país? ¿Qué coincidencias y qué diferencias hay en la historia? ¿Qué valores tiene el personaje de Betty? Organizad un pequeño debate al respecto.

6. En parejas o en grupo escuchad los documentos de audio siguientes: *Últimas palabras de Salvador Allende:* www.ciudadseva.com/textos/otros/ultimodi.htm ; *Retransmisión del intento de golpe de estado del 23F de 1981 en España:* www.cadenaser.com/especial/23-f

Buscad información sobre los dos hechos y preparad una pequeña exposición oral sobre uno de los dos acontecimientos, acompañándola con el documento de audio y vuestros comentarios personales sobre el mismo. ¿Conocéis en vuestro país casos similares en los que la radio haya jugado un papel especial? Si es así, integradlo en vuestra exposición oral.

7. Haz un resumen del argumento de una serie o de un programa de televisión de tu país.

8. Transformad la información de esta unidad en un programa de radio y/o en un programa de televisión. Para hacerlo, escribid un guión, distribuid las tareas (presentador, entrevistado, corresponsales, etc.) y seleccionad el material auditivo y visual que ilustrará vuestra emisión.

DEPORTES

1. ¿Qué deportes te gustan más? ¿Qué deportes practicas? Coméntalo con un compañero.

2. Lee el texto y descubre qué tipo de actividades deportivas se practican en los países donde se habla español.

Los deportes son uno de los entretenimientos más populares en todo el mundo. Sin embargo, no en todas partes se practican los mismos. En España e Hispanoamérica los **gustos deportivos** han sido marcados por diferentes razones, como veremos a continuación.

El fútbol

En la mayor parte de países de habla hispana las competiciones futbolísticas se iniciaron a finales del siglo XIX y principios del siglo XX, organizadas por **inmigrantes ingleses**. Con los años este deporte se ha vuelto parte de la tradición deportiva en muchos de esos países, que ya tienen campeonatos profesionales. En España los clubes con mayor tradición y más éxito son el **FC Barcelona**, ganador de 19 ediciones de la Liga Española y 3 de la Liga de Campeones (*Champions league*), y el **Real Madrid**, que ha ganado 31 veces la Liga Española y 9 veces la Liga de Campeones, y que es el equipo que ha ganado más veces esta competición. En Argentina, los clubes de Buenos Aires son los que cuentan con más aficionados. El **River Plate** ha ganado 33 ligas de la primera división, mientras que el **Boca Juniors** lo ha hecho en 25 ocasiones. En México, el conjunto más emblemático es el **Chivas de Guadalajara**, que ha ganado 13 campeonatos nacionales y que se enorgullece de contratar exclusivamente a jugadores mexicanos. En varios países latinoamericanos la

↑ *Campo de fútbol en Playa Redondo, Costa Verde (Lima).*

afición a este deporte es tan grande que incluso algunas universidades tienen sus propios equipos profesionales, como la Universidad Católica de Chile, la Universidad Nacional Autónoma de México y la Universidad Nacional Mayor de San Marcos en Perú.

Entre los jugadores más populares a nivel internacional está el argentino **Lionel Messi**, que en 2009 ganó el Balón de Oro (premio que se concede al mejor jugador del mundo) tras quedar tercero en 2007 y segundo en 2008. Messi fue un jugador fundamental para que su conjunto, el FC Barcelona, ganara en 2009 la Copa del Rey, la **Liga Española** y la **Liga de Campeones**, además de la Supercopa de España, la Supercopa de Europa y el Mundial de clubes. También formó parte de la selección nacional argentina que ganó la medalla de oro en los Juegos Olímpicos de Pekín. Actualmente, muchos consideran que es el mejor jugador del mundo. Otro jugador muy reconocido es el español **Iker Casillas**, que ha ganado con su equipo, el Real Madrid, tres Ligas, dos Supercopas españolas y dos Ligas de Campeones. Además, ha sido nominado cinco veces al Balón de Oro y fue el portero titular de la selección española que ganó la **Eurocopa** en **2008** y la **Copa del Mundo de Sudáfrica** en **2010**. Casillas ha colaborado en la recaudación de fondos para varios programas humanitarios y educativos para países del tercer mundo.

↓ *El Camp Nou es el estadio del Fútbol Club Barcelona.*

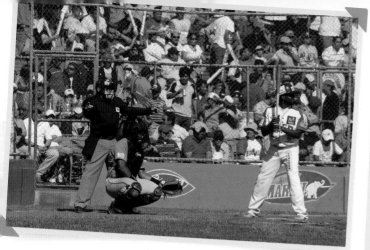

🔹 *Receptor (catcher) y bateador en un partido de béisbol.*

El béisbol

Este deporte se juega en muchos países que, por su proximidad con Estados Unidos, lo adoptaron a partir de la segunda mitad del siglo XIX. Curiosamente, todos ellos tienen **costas en el mar Caribe**. En Colombia, México, Nicaragua, República Dominicana y Venezuela existen ligas profesionales en las que se han formado jugadores que más tarde han participado en las **Grandes Ligas** de los **Estados Unidos**. En Cuba es el deporte nacional, aunque en este país la liga profesional fue sustituida en 1961 por un **campeonato nacional amateur**. La competición más importante de este deporte es la **Copa Mundial de Béisbol**, que el equipo nacional cubano, a pesar de no tener beisbolistas profesionales, ha ganado en nueve de las diez últimas ediciones. Asimismo, este equipo ha ganado tres medallas de oro y dos de plata en los últimos cinco Juegos Olímpicos.

Uno de los jugadores más destacados en este deporte es el panameño Mariano Rivera, quien en 1996, 1998, 1999 y 2000 ganó con los **Yankees de Nueva York** la **Serie Mundial**, que es la serie de partidos en la que se decide al equipo ganador de las Grandes Ligas de Béisbol. Rivera fue declarado el jugador más valioso de la Serie Mundial de 1999 y ha participado en el **Partido de las Estrellas**, encuentro que se realiza entre los mejores jugadores de las zonas este y oeste. Además, en la historia de este deporte es el segundo mejor lanzador de relevo (el jugador que finaliza un juego y lo gana).

CURIOSIDADES

El Campeonato Mundial de Fútbol de la FIFA se ha celebrado seis veces en países hispanohablantes: Uruguay (1930), Chile (1962), México (1970), Argentina (1978), España (1982) y México (1986). En este torneo los equipos uruguayo y argentino han sido vencedores en dos ocasiones cada uno y España en una. Además, en América Latina existe un campeonato llamado Copa América en el cual participan todas las selecciones del continente.

CURIOSIDADES

Los Juegos Olímpicos de Verano se han celebrado en dos ciudades del mundo hispano: Ciudad de México en 1968 y Barcelona en 1992. En México el fuego olímpico fue encendido por primera vez por una mujer, Enriqueta Basilio; en Barcelona lo hizo Antonio Rebollo, atleta paralímpico.

En el continente americano se celebra cada cuatro años una competición deportiva regional: Los Juegos Panamericanos. Estos se han celebrado en las siguientes ciudades hispanas: Buenos Aires (1951), Ciudad de México (1955), Cali (1971), Ciudad de México (1975), San Juan de Puerto Rico (1979), Caracas (1983), La Habana (1991), Mar del Plata (1995) y Santo Domingo (2003). Los próximos serán en Guadalajara (2011).

El baloncesto

El baloncesto, o básquetbol, como se le conoce en Latinoamérica, es también una disciplina deportiva que se practica en muchos países hispanohablantes. Actualmente sobresalen por la calidad de sus ligas profesionales y por la de sus selecciones nacionales **Argentina** (oro olímpico en 2004) y **España** (campeona del mundo en 2006). Además de en estos países, existen asociaciones de equipos profesionales en Chile, Colombia, México y Venezuela, de donde han salido jugadores de la NBA (*National Basketball Asociation*). El mexicano Eduardo Nájera destaca por haber participado en los llamados *playoffs* con tres equipos diferentes: los Dallas Mavericks, los Denver Nuggets y los New Jersey Nets. El argentino **Manu Ginóbili** juega con los San Antonio Spurs (equipo que ganó el campeonato en 2003, 2005 y 2007) y formó parte del equipo argentino que obtuvo la medalla de oro

🔹 *Pau Gasol es el mejor jugador español de baloncesto de la historia.*

en los Juegos Olímpicos de Atenas en 2004. Finalmente, el español **Pau Gasol** contribuyó a que su equipo, los Lakers de Los Angeles, ganara el campeonato en 2009 y en 2010. Además, jugó con la selección nacional española que ganó el campeonato mundial en 2006 y la medalla de plata en los Juegos Olímpicos de Pekín en 2008.

El tenis

Otro deporte que ha dado grandes jugadores en el mundo hispano es el tenis, en el que destacan nombres como los de los españoles **Rafa Nadal** (número uno mundial) o el argentino **Juan Martín del Potro** (ganador del *US Open* 2009). En lo que se refiere a competiciones internacionales, en lo que va del siglo XXI España ha sido campeona de la **Copa Davis** en tres ocasiones y una vez subcampeona. Por su parte, la selección argentina ha logrado el subcampeonato dos veces (el último precisamente ante España, que ganó la Copa Davis 2008 en territorio argentino). España volvió a ganar la Copa Davis en 2009 en el Palau Sant Jordi de Barcelona ante la República Checa. Es la segunda final de la Copa Davis que se celebra en Barcelona, dejando constancia de la gran tradición tenística de la ciudad, que año tras año acoge uno de los torneos internacionales de tenis sobre tierra más valorados por los jugadores: el **Conde de Godó**. ‖

⊙ El español *Fernando Verdasco se encuentra entre los primeros puestos de la ATP (2010)*

¿Sabías que en el mundo hispano hay actividades deportivas con más de 500 años de antigüedad?

En algunos países de habla hispana se practican deportes muy antiguos, como la pelota vasca, un juego tradicional vasco cuyo origen se remonta a la Edad Media. Esta competición consiste en hacer rebotar una pelota contra una pared o frontón. Un participante del equipo contrario tiene que repetir la acción hasta lograr que su oponente falle. Por causa de las migraciones españolas del siglo XX, este deporte se ha difundido en países como Argentina, Cuba, México y Venezuela. Otros ejemplos son los deportes prehispánicos del tejo, en Colombia, que es un juego en que hay que explotar pequeños paquetes de pólvora lanzándoles cilindros de metal; y el ulama, en México, que se juega golpeando una pelota de caucho con las caderas sin permitir que salga de la cancha.

⊕ *Rafael Nadal ha sido número uno en el ranking de la ATP en 2008 y en 2010.*

RECOMENDACIONES

🔊 Más información sobre organizaciones: www.olympic.org (Comité Olímpico Internacional), www.fifa.com , http://mlb.mlb.com/es (Grandes Ligas de Béisbol), http://www.fipv.net (Federación Internacional de Pelota Vasca).

Sobre los equipos de fútbol que se mencionan en el texto: www.realmadrid.com , www.fcbarcelona.es , www.chivascampeon.com , www.lacatolica.cl , www.bocajuniors.com.ar , www.cariverplate.com.ar , www.pumasunam.com.mx

💬 *Objetivo: medallas olímpicas* (1996), escrita por Ramón Maspons y Pere Escorsa, 1996 y *México 68* (2008), de Tania Ragasol. Estos libros te darán más información acerca de los Juegos Olímpicos celebrados en Barcelona y México, respectivamente. Sobre los últimos te recomendamos la película *Pax*, dirigida por Wolf Rila.

Az **3.** Completa el siguiente cuadro con las informaciones de los apartados del texto.

	Competiciones	Jugadores destacados	Equipos
Fútbol			
Béisbol			
Baloncesto			
Tenis			

4. Marca la palabra que no corresponda al grupo.

tenista	olimpiada	asociación
amateur	liga	conjunto
futbolista	medalla	selección
baloncestista	campeonato	equipo

5. Busca las siguientes palabras en la sopa de letras:

balompié

temporada

postemporada

paralímpico

cancha

oponente

tenis

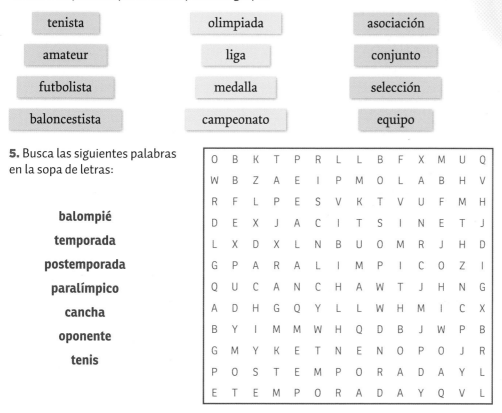

```
O B K T P R L L B F X M U Q
W B Z A E I P M O L A B H V
R F L P E S V K T V U F M H
D E X J A C I T S I N E T J
L X D X L N B U O M R J H D
G P A R A L I M P I C O Z I
Q U C A N C H A W T J H N G
A D H G Q Y L L W H M I C X
B Y I M M W H Q D B J W P B
G M Y K E T N E N O P O J R
P O S T E M P O R A D A Y L
E T E M P O R A D A Y Q V L
```

6. Responde las siguientes preguntas con la información del texto.

  a. ¿Qué ha causado la difusión de los deportes mencionados?
  b. ¿Cuáles de estas informaciones te han sorprendido?

7. Entra en la página de la FIFA (http://es.fifa.com) y busca información sobre el próximo Campeonato Mundial de Fútbol. ¿Dónde se va a celebrar? ¿En qué fechas? ¿Qué países ya están clasificados? ¿Quiénes son los candidatos para la siguiente edición? ¿Cuántos países de habla hispana participarán o serán candidatos?

8. Haz una lista con los deportistas más conocidos de tu país, elige uno y escribe un artículo periodístico sobre él explicando brevemente su biografía y logros deportivos.

CD 13

1. Escucha una vez el diálogo y responde las siguientes preguntas:

> **1.** ¿Cuántos personajes hablan?
> **2.** ¿De qué tema?
> **3.** Señala los títulos de las películas que aparecen en la conversación:
>
> | Los abrazos rotos | La teta asustada | Nueve reinas | El secreto de tus ojos | Celda 211 |
> | Un día sin mexicanos | El hijo de la novia | Gordos | Ágora | Amores perros |

2. Escucha el diálogo una segunda vez y responde las preguntas:

> **1.** ¿Qué película consideran que es muy violenta?
> **2.** ¿En qué película se habla quechua?
> **3.** ¿Qué película narra la vida de una filósofa?
> **4.** ¿Por qué creen que *El secreto de tus ojos* es una buena película?

3. Recomienda a tus compañeros dos películas que hayas visto. ¿Cuáles son tus razones para recomendarlas?

---

1. Antes de visionar el fragmento, sitúa en un mapa de Cuba las ciudades de Guantánamo y La Habana. Reflexiona: ¿cuál es el significado de la palabra "guantanamera"?

2. Mira los primeros dos minutos del vídeo sin sonido y ordena las siguientes frases:

☐ **a.** Un hombre con un maletín baja del coche, entra en un café y habla con la camarera.

☐ **b.** El camionero reconoce a la mujer, que fue su profesora.

☐ **c.** Llega un camión a un bar de carretera.

☐ **d.** El hombre del maletín pide algo en la barra del bar de carretera en el que están los camioneros.

☐ **e.** El camionero y la mujer chocan y el café se derrama.

☐ **f.** Uno de los camioneros está en la barra del bar tomando una bebida.

☐ **g.** El hombre del maletín, en un coche con una mujer y dos hombres, llega al bar de carretera después del camión.

3. ¿Qué pasó entre el camionero (Ramón) y la profesora (Gina)?

4. Vuelve a ver el vídeo, esta vez con voz, y responde las preguntas marcando la opción correcta:

> **a.** ¿Qué sirven como bebida en el primer establecimiento? ☐ **café** ☐ **jugo de tamarindo** ☐ **cerveza**
> **b.** No les pueden servir la bebida porque no tienen: ☐ **agua** ☐ **electricidad** ☐ **hielo**
> **c.** Gina va la habana para: ☐ **enterrar a su tía** ☐ **ver a su hijo** ☐ **buscar trabajo**
> **d.** Gina daba clases de: ☐ **matemáticas** ☐ **economía** ☐ **filosofía**
> **e.** Ramón estudió en la universidad y es: ☐ **ingeniero** ☐ **arquitecto** ☐ **periodista**

5. ¿Qué aspectos problemáticos de la realidad cubana ves reflejados en este vídeo?

CELEBRACIONES, FIESTAS Y CEREMONIAS

11

- Fiestas del sol
- Fiestas de la cosecha
- Celebraciones decembrinas
- Fiestas de la fertilidad

"Todo ocurre en un mundo encantado: el tiempo es otro tiempo [...]; el espacio en que se verifica cambia de aspecto, se desliga del resto de la tierra, se engalana y convierte en un 'sitio de fiesta' [...] Los personajes que intervienen abandonan su rango humano o social y se transforman en vivas, aunque efímeras, representaciones. Y todo pasa como si no fuera cierto, como en los sueños, que hay que entregar para adentrarse".

Octavio Paz, El laberinto de la soledad

FIESTAS DEL SOL

1. ¿Qué palabras relacionas con los siguientes términos? Compara con un compañero:

Fiestas del sol | Fiestas de la cosecha | Celebraciones decembrinas | Fiestas de la fertilidad

2. Lee el siguiente texto y observa cómo se celebran estas fiestas en los países hispanos.

Cuando se habla de las fiestas y tradiciones del mundo hispano se entra en un universo casi infinito de expresiones culturales. Estas son en su mayoría resultado de la mezcla de las tradiciones de los pueblos de los diferentes países hispanohablantes. A continuación os presentamos una pequeña muestra de las fiestas más características de algunos de esos países.

FIESTAS DEL SOL

Día de San Juan

La noche del 24 de junio se celebra en **España** y otros lugares de **Hispanoamérica** la **Noche de San Juan**. En muchos pueblos y ciudades españolas la gente se reúne entorno a hogueras y en fiestas populares, llamadas verbenas, donde se suelen comer platos tradiconales y se encienden fuegos artificiales. El vínculo de esta festividad con el fuego tiene que ver con la creencia popular de que el fuego purifica. La gente se prepara para iniciar un nuevo ciclo vital mediante rituales como los de quemar muebles viejos, **saltar sobre las hogueras** o **caminar sobre brasas encendidas**. Con el mismo propósito, y teniendo como elemento central el agua, algunas personas suelen bañarse en los ríos o en el mar. Esta celebración tiene

◉ *Celebración del Inti Raymi en Perú.*

orígenes precristianos. Los pueblos paganos festejaban la noche más corta del año y encendían fuegos con los que animaban al sol a que siguiera vivo, pues a partir de ese día (el **solsticio de verano**) los días son más cortos.

Inti Raymi

El 24 de junio, tres días después del **solsticio de invierno** en el hemisferio sur, se celebra en la ciudad de **Cuzco** el *Inti Raymi* o **Fiesta del Sol** en lengua quechua. Ese día, miles de personas de la región se reúnen para observar la representación de una ceremonia ancestral. La gente se reúne entorno a la plaza de armas, antes llamada Aucaypata, donde un actor que representa al inca da un discurso en lengua quechua tras el que se inicia una procesión hacia la fortaleza de *Sacsayhuamán*, a dos kilómetros de la ciudad. Allí se recrea una ceremonia en la que, con la ayuda de un objeto de metal, se enciende fuego gracias a la reflexión de los rayos del sol. Otro de los rituales consiste en la simulación del sacrificio de una llama para leer el futuro en sus entrañas. Después, los asistentes cantan y bailan vestidos con trajes multicolores. Esta ceremonia tiene sus orígenes en el **imperio inca**, y fue prohibida durante el periodo colonial; no fue hasta la década de los 40 cuando se decidió recuperarla.

◉ *Tradicionalmente, a las hogueras de San Juan se llevan muebles para tirar.*

FIESTAS DE LA COSECHA

El Día de Muertos

El **Día de Muertos** se celebra de forma muy especial en el centro y sur de **México**. El 1 y 2 de noviembre la gente arregla y pinta las tumbas de sus familiares, y se preparan ofrendas. Todos se reúnen en torno a las tumbas y comparten los alimentos. Es un momento de intimidad familiar en el que se reza, se canta, se ríe y se llora. Otros prefieren hacer la ofrenda en casa, para lo cual montan un altar en el que disponen agua y sal (símbolos de purificación), panes, frutas, flores, velas, calaveritas, los platillos que les gustaban a los familiares muertos e incluso bebidas alcohólicas y tabaco. Esta celebración tiene su origen en las **culturas de Mesoamérica**, región cultural que iba desde el centro de México hasta Costa Rica. Antiguamente se celebraba a finales de octubre, que era cuando terminaba la temporada de lluvia, coincidiendo con la cosecha del maíz, alimento básico de la población. Los pueblos indígenas festejaban esos días la abundancia de alimentos, que compartían con los muertos además de con los vivos. Se creía que en esas fechas las almas de los muertos volvían del lugar de las tinieblas, el *Mictlán* o *Xibalbá*, para visitar a sus familiares. Por ese motivo, en cada casa se hacía un camino de flores y velas que guiaba las almas desde la puerta hasta el sitio donde les habían preparado una ofrenda. Hoy en día, la tradición indígena se ha mezclado con elementos europeos, como las imágenes y los rezos católicos. La fiesta del **Día de Muertos** forma parte del **Patrimonio Intangible de la Humanidad de la UNESCO**.

EL PAN DE MUERTO Y LAS CALAVERITAS

En el centro y sur de México se preparan panes especiales para las celebraciones del 1 y 2 de noviembre, llamados pan de muerto. En algunas partes tienen forma humana y están cubiertos con azúcar de color rojo, que representa la sangre. En otras, los panes de muerto son de forma redonda y tienen adornos que representan dos huesos cruzados y un cráneo. Otro elemento fundamental de las ofrendas son las calaveritas, que son pequeños cráneos hechos de azúcar

⊕ *Calaveritas de azúcar.*

y decorados con líneas de azúcar y papel metálico de colores. En las últimas décadas se han empezado a vender calaveritas de chocolate y de amaranto (un tipo de cereal americano que se usa para confeccionar dulces tradicionales), que conservan el colorido de las originales.

Fiestas de la castaña

Los primeros días de noviembre tiene lugar una celebración muy especial en el **norte de España**. Con ella se celebra la cosecha de las **castañas**, que ha sido tradicionalmente un alimento fundamental en esas zonas. Estas fiestas reciben nombres diferentes en cada región: *magosto* en Galicia, *magüestu* en Asturias, *magosta* en Cantabria y Castilla León, *gaztainerre* en el País Vasco y *castanyada* en Cataluña. Para la ocasión, la gente se reúne en familia y con amigos alrededor de hogueras hechas al aire libre sobre las que se asan **castañas**, **boniatos** y **chorizos**. Durante la noche, además de comer, se bebe vino joven, se cuentan cuentos y se entonan cantos populares. El origen de esta festividad es muy antiguo y confuso. Algunos la relacionan con antiguas festividades del fuego, como las que se hacían en los solsticios de verano o invierno; otros dicen que está relacionada con la bajada de las almas a la tierra, razón por la que hay que prepararles fuego para calentarse y castañas para comer.

⊕ *Altar en el Día de Muertos en México.*

⊕ *Venta de castañas el día de Todos los Santos (Cataluña).*

CELEBRACIONES DECEMBRINAS

La Navidad en España

En todos los países de habla hispana las festividades invernales se centran en las **fiestas navideñas**. En casi toda España la celebración de la Navidad comienza en **Nochebuena**, el **24 de diciembre**. Esta noche normalmente se cena en familia y se suelen preparan platos especiales como marisco, cordero, etc., se comen **turrones** (dulces de almendra) hechos para la ocasión y se cantan canciones navideñas llamadas **villancicos**. El día 25, Navidad, se festeja con otra comida familiar. La siguiente celebración es la de **Nochevieja**, el **31 de diciembre**, que suele ser menos familiar. En esa ocasión la gente se reúne para recibir con mucho bullicio el nuevo año. A medianoche, doce campanadas marcan el cambio de año y, según manda la tradición, muchos españoles se comen una uva con cada campanada para tener buena suerte en el año que comienza. El Año Nuevo (1 de enero) se celebra también con otra comida familiar. El final de las celebraciones navideñas lo marca el **Día de Reyes**, el **6 de enero**, fecha en la que los niños reciben los regalos de los Reyes Magos (algunos reciben sus regalos de Santa Claus o Papá Noel el 24 o 25 de diciembre, depende de las creencias de cada familia). En España muchas familias decoran sus casas con un **Belén** (una representación con figuritas del nacimiento de Jesús) en Navidad.

No se sabe a ciencia cierta cuál es el origen de la Navidad, pero muchos coinciden con la idea de que su origen es precristiano. Hay quien opina que está relacionada con las saturnales, unas fiestas realizadas en honor al dios romano Saturno y al nacimiento del sol, que coincidían con la noche más larga del año.

⬆ *Tamales.*

La Noche de las Velitas y las Novenas de Aguinaldos

El evento que marca el inicio de las celebraciones navideñas en **Colombia** es la **Noche de las Velitas**, la víspera del **8 de diciembre**. En esa noche, se cuelgan farolitos y se encienden velas en los portales, los parques e incluso en las aceras de las calles para iluminar el paso de la Virgen de la Inmaculada Concepción en algunas zonas de Colombia. Después, las familias pasean por el barrio para ver la ciudad iluminada y para disfrutar de los fuegos artificiales. Días después, **del 16 al 24 de diciembre**, se celebran las **Novenas de Aguinaldos**, que son nueve días de rezos con los que la gente recuerda el viaje de la Virgen María de Nazaret a Belén. La comida típica para estas fiestas son los **tamales**, que son pequeños panecillos de maíz rellenos cocidos al vapor y envueltos en hojas de plátano o de maíz.

✌ *Los belenes o pesebres representan el nacimiento de Jesucristo y la adoración de los pastores y de los Reyes Magos.*

CURIOSIDADES

Originariamente, la piñata era una representación de la lucha del bien contra el mal. Era una estrella de siete picos de cartón pegados a una olla de barro y decorados con papeles de colores. Los siete picos representaban los siete pecados capitales. Los invitados tenían que golpear la piñata con los ojos vendados, guiados por las indicaciones de los demás asistentes. Esta era una representación de la fe, que es ciega, y por medio de la cual se lucha contra el mal. Al final, cuando se rompía la piñata, caían al suelo frutas de la estación como recompensa. Hoy, esta tradición se ha convertido en un juego infantil para los cumpleaños, y las piñatas tienen forma de animales y de personajes de dibujos animados.

⬆ *Chirigota en el Carnaval de Cádiz.*

FIESTAS DE LA FERTILIDAD

El Carnaval

En muchos lugares del planeta tiene lugar una festividad **40 días antes de la Pascua**, el **Martes de Carnaval**. Uno de los carnavales más tradicionales de España es el que se celebra en la ciudad andaluza de **Cádiz**. En él, los participantes llevan máscaras y disfraces con los que ridiculizan personajes de la sociedad española. Esta celebración se ha caracterizado desde finales del siglo XIX por la participación de las **chirigotas**, grupos musicales que participan en un concurso de **coplas** satíricas. Dichas coplas hablan sobre temas de actualidad y se acompañan de ritmos populares, como la rumba, el pasodoble o la jota. Esta tradición se pudo mantener durante el franquismo gracias a que fue presentada como fiesta de la ciudad y a que las trasladaron al mes de mayo. En 1978, en plena transición democrática, el carnaval de Cádiz volvió a celebrarse como tal en el mes de febrero. Desde entonces es una de las fiestas más populares del país.

🔽 *El Carnaval de Tenerife es, junto con el de Río de Janeiro, uno de los más conocidos del mundo.*

⬆ *Piñata.*

La Virgen de Guadalupe y las Posadas

En **México**, las celebraciones invernales comienzan el **12 de diciembre**, día de la **Virgen de Guadalupe**, cuya imagen se encuentra en la basílica del *Tepeyac*, lugar donde los pueblos prehispánicos tenían un santuario a la diosa náhuatl *Tonantzin*, la diosa madre. Los españoles sustituyeron a la diosa por una virgen católica, con la particularidad de que esta tenía el color de piel de los indígenas. Actualmente, miles de personas peregrinan hasta el santuario para rezarle el día de su aniversario. Cuatro días más tarde, el día **16 de diciembre**, comienzan las **Posadas**, que son pequeñas fiestas en las que se reza y se canta para conmemorar, como en Colombia, el viaje de la Virgen María y de San José. Después se rompen las piñatas mientras se canta para animar a los participantes. Finalmente, se sirve una bebida caliente de frutas conocida como **ponche** y pequeños platos, llamados **antojitos**, generalmente hechos a base de maíz.

En **Cartagena de Indias** y en **Barranquilla**, Colombia, el carnaval mezcla elementos de tres culturas: la africana, la indígena y la europea. Esto se puede constatar atendiendo a la variedad de músicas y danzas que se interpretan durante los desfiles de los grupos conocidos como **comparsas**. En estos desfiles, los músicos acompañan a bailarines que interpretan coreografías disfrazados de personajes de la tradición local, como los enanos cabezones; los narigudos encapuchados, llamados **marimondas**; y las gigantonas que bailan sobre zancos. La importancia de este festival está en el papel que juega en la conservación de las tradiciones del Caribe colombiano. La UNESCO declaró esta celebración como parte del Patrimonio Intangible de la Humanidad.

Existen diversas teorías sobre el origen del Carnaval; algunos lo relacionan con las **bacanales**, que eran celebraciones romanas organizadas en honor al **dios del vino**, **Baco**; otros lo relacionan con festividades incluso más antiguas. No obstante, todas coinciden en su origen pagano y en que originalmente se trataba de fiestas para propiciar la fertilidad ante la proximidad de la primavera.

⬆ *El Carnaval de Barranquilla (Colombia) también es Patrimonio de la Humanidad.*

El Palo de Mayo

Otro rito relacionado con la fertilidad es el **Palo de Mayo**, que se celebra en la ciudad de **Bluefields**, en Nicaragua. La fiesta consiste en levantar un tronco de varios metros de altura que simboliza un árbol y de cuya punta cuelgan lazos de colores que representan los frutos. Las bailarinas bailan alrededor del palo cogidas de los lazos para propiciar la **fertilidad** de los campos. Con el tiempo, la tradición europea se ha ido mezclando con los ritmos africanos y ha dado como resultado un tipo de danza erótica a ritmo de tambores. Últimamente, se han agregado coreografías interpretadas por los habitantes de los diferentes barrios de la ciudad. Esta celebración tiene un origen precristiano, nació en Europa del norte, desde donde se trasladó al Caribe gracias a los colonos ingleses y a los esclavos que llegaban desde Jamaica. El Palo de Mayo se celebra también en muchos otros lugares del Caribe. ⫴

⬇ *Celebración del Palo de Mayo en Nicaragua.*

RECOMENDACIONES

🔊 Información sobre fiestas populares:
www.carnavaldecadiz.com
www.carnavaldebarranquilla.org
www.diademuertos.com

Para saber más sobre el Magosto:
http://elviajero.elpais.com

Sobre el Palo de Mayo:
www.manfut.org/index.html

3. De acuerdo con los textos, relaciona las fiestas con las informaciones de la derecha.

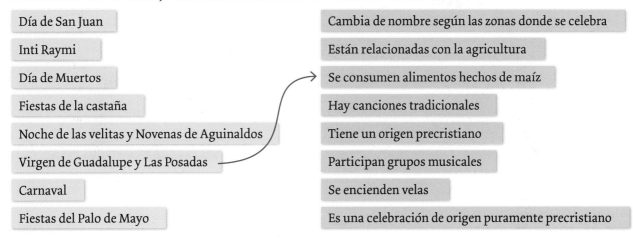

Día de San Juan

Inti Raymi

Día de Muertos

Fiestas de la castaña

Noche de las velitas y Novenas de Aguinaldos

Virgen de Guadalupe y Las Posadas

Carnaval

Fiestas del Palo de Mayo

Cambia de nombre según las zonas donde se celebra

Están relacionadas con la agricultura

Se consumen alimentos hechos de maíz

Hay canciones tradicionales

Tiene un origen precristiano

Participan grupos musicales

Se encienden velas

Es una celebración de origen puramente precristiano

4. Responde las siguientes preguntas y compara tus respuestas con las de tu compañero.

a. ¿Qué celebraciones te han sorprendido más? ¿Por qué?
b. ¿Se celebran en tu país? ¿Cómo?

Az 5. Completa el crucigrama con las palabras que corresponden a las siguientes definiciones:

Horizontales
2. Día anterior a otro, especialmente si es una fiesta.
6. Actividades para ceremonias, normalmente religiosas.
7. Grupo de personas que cantan y bailan.
8. Fuego hecho al aire libre.

Verticales
1. Ropa que se usa para que la gente no sea reconocida.
3. Conjunto de frases religiosas que se dicen para celebrar un acontecimiento.
4. Regalo dedicado a los muertos.
5. Se dice de algo no cristiano.

6. Busca en internet información sobre alguna de las siguientes fiestas del mundo hispano. Prepara una exposición para tus compañeros y compleméntala con imágenes o vídeos.

Los diablos danzantes   Los Sanfermines   La Romería del Rocío   Fiestas de la Pachamama

Fiestas de moros y cristianos   Las Fallas   Día de San Jorge (Sant Jordi)   La Tomatina

7. Elabora un calendario de fiestas de tu país y escribe una descripción de cómo se celebran.

8. Inventa una fiesta nueva para celebrar en tu país. Piensa en su fecha y en cómo la celebrarás. Describe cómo será ese día, haz una exposición oral y grábalo para tus compañeros.

9. A. Imagina que el gobierno de tu país va a suprimir tu celebración favorita. Escribe una carta en su defensa a un periódico explicando qué representa para tu cultura. Justifica su importancia.

B. Elabora un cartel para promocionar la fiesta que quieres preservar.

CD 14

1. Lee las siguientes preguntas. A continuación escucha la entrevista e intenta responderlas.

- ¿Qué producto es el protagonista de las fiestas?
- ¿Por qué se les llama "los Sabios de Grecia" a los terratenientes?
- ¿Qué nombres tienen los bailes que se mencionan?
- ¿Cuánto cuesta la pólvora que se gasta en los fuegos artificiales?
- ¿Cuánto hace que empezó la fiesta?

CD 15

2. Escucha la segunda parte de la entrevista y di si las siguientes afirmaciones son verdaderas o falsas:

	Verdadero	Falso
En Sant Sadurní ya existía una fiesta con *dracs* (dragones en español).		
Los jóvenes del pueblo crearon la fiesta de la filoxera.		
La gente de Sant Sadurní viste del color del insecto.		
Es una fiesta que inmediatamente tuvo éxito.		

3. Busca información sobre la filoxera y escribe un reportaje sobre su historia. Céntrate especialmente en cómo ha sido combatida.

4. ¿Conoces alguna historia de tu ciudad en la que se celebre un hecho histórico, social o político? ¿Qué similitudes tiene con las fiestas que has visto en esta unidad?

1. Mira el fragmento de la película *Belle Epoque* hasta el segundo 45, sin sonido. ¿Para qué fiesta crees que se están preparando? ¿Por qué? Coméntalo con un compañero.

2. Mira ahora esta parte con sonido y comprueba tu hipótesis. ¿Sabes qué se va a poner el último personaje de la escena?

3. Observad la escena siguiente y marcad en el cuadro los disfraces y otros elementos festivos que aparecen en ella.

Disfraces			
arlequín	anciana	conejo	elefante
militar	sacerdote	torero	
sevillana	burro	oso	bebé

Elementos festivos		
farolitos	bailarinas	títeres
bar	platos típicos	hoguera
velas	músicos	adornos

Completa las listas con otros elementos y disfraces que veas en la escena.

4. Responded en equipos las siguientes preguntas:

- ¿En qué época crees que se desarrolla la fiesta? ¿En qué país? ¿Por qué?
- ¿En qué fiesta de tu país se disfraza la gente? ¿Cuál es su origen? ¿Cuáles son los disfraces más comunes?
- ¿Cuál ha sido el disfraz más original que has visto? ¿Dónde lo viste?
- ¿Te has disfrazado alguna vez? ¿De qué? ¿Qué celebrabais?

5. Imagina que vas al carnaval de un país de habla hispana. Elige un personaje de ese país para disfrazarte y busca una imagen que lo ilustre. Cuéntale al resto de la clase por qué has elegido ese disfraz y cómo piensas hacerlo.